KU-669-298

Paul Gauguin

DuMont's Neue Galerie

Paul Gauguin

Robert Goldwater

P Gauguin.

DuMont Buchverlag Köln

Frontispiz: Paul Gauguin

CIP-Titelaufnahme der Deutschen Bibliothek

Goldwater, Robert:
Paul Gauguin / Robert Goldwater. [Für d. Übers. aus d. Amerikan. verantw.: DuMont Buchverl. Köln]. – Sonderausg. – Köln: DuMont, 1989
(DuMont's neue Galerie)
Einheitssacht.: Paul Gauguin ‹dt.›
ISBN 3-7701-2430-8
NE: Gauguin, Paul [Ill.]

Das vorliegende Werk ist eine Sonderausgabe der 1960 in der 2. Auflage erschienenen Monographie.

Für die Übertragung aus dem Amerikanischen verantwortlich:
DuMont Buchverlag, Köln

Satz: Fotosatz Froitzheim, Bonn

Gedruckt und gebunden in Japan.

ISBN 3-7701-2430-8

Inhalt

Paul Gauguin

Bonjour Monsieur Gauguin. 1889. Öl auf Leinwand, 92,5 × 74 cm. National Galerie, Prag

Woher kommen wir? Wer sind wir? Wohin gehen wir? 1897. 140 × 377 cm. Museum of Fine Arts, Boston
(siehe Farbtafeln Seiten 111, 113, 115)

Brief vom Februar 1898 an Daniel de Monfreid mit einer Zeichnung von ›Woher kommen wir?‹. Privatsammlung, Paris

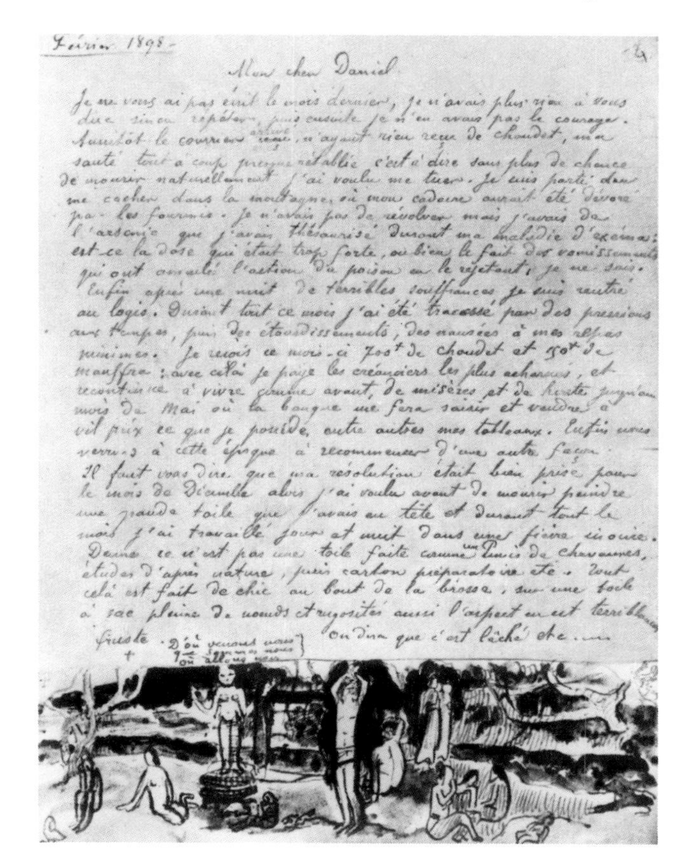

Février 1898

Mon cher Daniel

Je ne vous ai pas écrit le mois dernier, je n'avais plus rien à vous
dire sinon répéter, puis ensuite je n'en avais pas le courage.
Aussitôt le courrier arrivé, n'ayant rien reçu de Chaudet, ma
santé tout à coup presque rétablie c'est à dire sans plus de chance
de mourir naturellement j'ai voulu me tuer. Je suis parti dans
me cacher dans la montagne, où mon cadavre aurait été dévoré
par les fourmis. Je n'avais pas de révolver mais j'avais de
l'arsenic que j'avais thésaurisé durant ma maladie d'eczéma;
est-ce la dose qui était trop forte, ou bien le fait des vomissements
qui ont annulé l'action du poison en le rejetant, je ne sais.
Enfin après une nuit de terribles souffrances je suis rentré
au logis. Durant tout ce mois j'ai été tracassé par des pressions
aux tempes, puis des étourdissements, des nausées à mes repas
minimes. Je reçois ce mois-ci 700f de Chaudet et 150f de
Mauffra: avec cela je paye les créanciers les plus acharnés, et
recontinue à vivre comme avant, de misères et de honte jusqu'au
mois de Mai où la banque me fera saisir et vendre à
vil prix ce que je possède, entre autres mes tableaux. Enfin nous
verrons à cette époque à recommencer d'une autre façon.
Il faut vous dire que ma résolution était bien prise pour
le mois de Décembre alors j'ai voulu avant de mourir peindre
une grande toile que j'avais en tête et durant tout le
mois j'ai travaillé jour et nuit dans une fièvre inouïe.
Dame ce n'est pas une toile faite comme un Puvis de Chavannes,
études d'après nature, puis carton préparatoire etc. Tout
cela est fait de chic au bout de la brosse, sur une toile
à sac pleine de noeuds et rugosités aussi l'aspect en est terriblement
fruste. On dira que c'est lâché etc. ...

P Gauguin

Die vier Künstler, die wir als Väter der modernen Kunst bezeichnen, waren in ihrem Wesen grundverschieden. Zwar lebten und arbeiteten sie zur selben Zeit und in einigen entscheidenden Jahren sogar im gleichen Milieu, und jeder war sich der Bedeutung des anderen, als Freund oder Rivale, bewußt. Aber in ihrer Herkunft, ihrem Temperament und ihrer Einstellung zur Welt hatten sie nichts Gemeinsames. Auch als Künstler gingen sie ihre eigenen Wege, und jeder hatte seine ganz persönliche Handschrift und Wesensart. Dennoch verkörpern sie zusammen die nachimpressionistische Epoche und gründen auf den gleichen historischen Voraussetzungen, indem sie alle vom Impressionismus ausgehen und sich auf die Erfahrung dieser unmittelbar vorausgegangenen Stilrichtung stützen.

Auch darüber hinaus verbindet diese vier Maler, Cézanne, Seurat, van Gogh und Gauguin, in unserer Vorstellung ein ähnlicher Zug in ihrem Leben und ihrem Werk: der zähe und erfolgreiche Kampf gegen übermächtige Vorurteile, ein Kampf, der zum Symbol und zum Maßstab jener künstlerischen Vollendung wurde, nach der andere Maler beurteilt werden und sich selbst beurteilen. In viel stärkerem Maße als bei ihren Vorgängern, den Impressionisten, welche mit einer Leichtigkeit malten, die uns heute noch größtes Vergnügen bereitet, und bei ihren Nachfolgern, den Fauves und Kubisten, die ihren eigenen Stil verhältnismäßig schnell erarbeiteten, war das Werk dieser vier Männer das Ergebnis eines unaufhörlichen persönlichen Ringens, das in der Geschichte der abendländischen Malerei ohne Vergleich ist.

Diesen Kampf betrachtet man gewöhnlich nur von der wirtschaftlichen und gesellschaftlichen Seite, man sieht die Armut, unter der van Gogh und Gauguin zu leiden hatten, die feindselige Ablehnung und Unterschätzung, denen alle vier Maler begegneten. Viel dramatischer aber waren bei diesen Künstlern die inneren Konflikte, die bei Cézanne und Seurat, welche keine Not litten und deren äußeres Leben ohne besonders aufregende Zwischenfälle verlief, so übermächtig waren, daß man ihnen allgemein nicht viel Begabung zutraute. Das Ringen um eine Ausdrucksform für ihre visionären Vorstellungen, die Konzentration auf das künstlerische Ziel, das sie allen Widerständen zum Trotz erreichen wollten, war allen vier gemeinsam; sie glaubten an ihre Berufung. Seurat bewies dies Tag für Tag durch die unermüdliche Erarbeitung seiner Bilder, da er sich nicht auf die plötzliche Intuition verließ; Cézanne in seiner Bereitschaft, immer wieder zu beginnen und angefangene Bilder aufzugeben, nur um dadurch einen Schritt seinem Ideal näher zu kommen: das Zufällige mit dem Wesentlichen zu verbinden; van Gogh durch seine Schaffenswut, die ihn in einem Jahrzehnt zugrunde richtete. Und Gauguin zeigt es über zwanzig Jahre lang in der durch nichts zu erschütternden Hartnäckigkeit, die ihn von Paris in die Bretagne, von dort nach Martinique und Tahiti und endlich von Tahiti auf die Marquesas-Inseln führte, immer besessen von dem Wunsch, zu malen.

Selbstbildnis mit Heiligenschein. 1889. Öl auf Leinwand, 79 × 51 cm. National Gallery of Art, Washington, D.C. (Sammlung Chester Dale)

Paul Gauguin. Photographie. Um 1891. Privatbesitz, Frankreich

Gauguin umgibt in menschlicher wie in künstlerischer Hinsicht eine Zwielichtigkeit. Da er diese selbst verursachte, schwankt sein Bild im Urteil der Menschen mehr als das seiner Gefährten: Die einen sahen in ihm den Idealisten, welcher die finanzielle Sicherheit aufgab, Haus, Frau und Kinder verließ, auf Freunde und Heimat verzichtete, um sich einer künstlerischen Aufgabe zu unterziehen, die nur durch Leiden verwirklicht werden konnte. Im Gegensatz zu dieser romantisierenden Betrachtung hielten ihn andere für genußsüchtig, für einen sinnlichen Menschen, der nur an sich dachte und

Eugène Carrière: Bildnis von Paul Gauguin. 1891. Öl auf Leinwand, 66 × 76 cm. Sammlung Mrs. Fred T. Murphy, Grosse Pointe, Michigan

der Baudelaires »Einladung zur Reise« folgte und in die Südsee reiste, um dort die »Insel Cythera« zu entdecken.

Beide Auffassungen enthalten – wie wir sehen werden – etwas Wahres. Gauguin spielte als Erbe eines sich selbst bespiegelnden Romantizismus seine Rolle wie ein Schauspieler, der auf den Beifall der Zuschauer hofft. Andererseits brachte er seiner Kunst zweifellos große Opfer und nahm seelische und körperliche Entbehrungen auf sich, nur um malen zu können. Da beides, das Schauspielern anderen gegenüber wie auch seine echten Seelenqualen, beherrschende Elemente seines Wesens waren, findet man nur schwer Zugang zu seiner wahren Natur.

Viel leichter als die Geschichte seiner Kunst, ihre Wurzeln und Beziehungen, sind die einzelnen Geschehnisse seines Lebens wiederzugeben. Sie wurden so dramatisiert, daß sein Dasein nichts anderes als eine rasche Folge erschütternder Vorfälle zu sein scheint, die ihm kaum Zeit zum Malen ließen. Natürlich gab es solche Vorfälle, und es ist aufregend, ihre Ursachen aufzudecken. Viele waren als verhängnisvolle Schicksalsschläge unabwendbar, viele als Folgen seines Charakters unvermeidlich. Zudem setzte er sich durch seine launische und zynische Art vielen Demütigungen aus, über die er sich dann selbst mokierte. Er war ebenso empfänglich für das Tragische wie für das Komische einer Situation.

In Wirklichkeit aber verlief sein Leben gar nicht so dramatisch. Es kannte die Mühen des Alltags, Eintönigkeit und Unschlüssigkeit. Jede Entscheidung fiel Gauguin schwer und brauchte Zeit; immer tauchten Bedenken und Zweifel, bisweilen sogar Furcht auf, bis schließlich Veranlagung und äußere Umstände, die wirtschaftliche Lage, vor allem aber der Wunsch, zu malen, ihm einen Entschluß abnötigten. An jedem Wendepunkt seines Lebens spürt man ein Zögern und das Verlangen, an dem bestehenden Zustand festzuhalten, bis er, infolge der Anhäufung unmittelbarer Schwierigkeiten, sich als Ausweg ein neues Luftschloß

Die Heuschrecken und die Ameisen, Andenken an Martinique. Um 1889. Lithographie, 20 × 26 cm.
National Gallery of Art, Washington, D. C. (Sammlung Lessing Rosenwald)

baut, dem er nachjagt. So war es bei dem allmählichen Übergang von einem Sammler aus Liebhaberei zum ausübenden Künstler – der Entscheidung des Januar 1883 gingen Jahre des Bedrücktseins voraus –, bei seiner letzten Übersiedlung im Jahre 1901 auf die Marquesas – einem Plan, der schon zu Beginn seines Südseeaufenthaltes erwogen wurde – und vor allem bei der widerwilligen Trennung von seiner Familie.

Als er mit den Seinen nach Rouen übersiedelte, weil das Leben dort billiger sein sollte, war er gleichzeitig davon überzeugt – wie Pissarro seinem Sohne Lucien schrieb –, daß die wohlhabenden Bürger dieser Stadt ohne weiteres zum Kauf seiner Bilder zu bewegen wären. Als er im Jahre 1886 gezwungen war, für ein Entgelt von fünf Francs pro Tag zusammen mit seinem kranken Sohn Clovis in Paris Plakate zu kleben, sah er sich schon in dieser Firma als Direktor der spanischen Abteilung, die noch nicht einmal gegründet war, und glaubte, hier nach und nach auch seine anderen Kinder um sich scharen zu können. Als er im nächsten Jahr Paris, »das für einen armen Mann eine Wüste ist«, verließ, um nach Panama zu reisen, bildete er sich ein, sein Schwager, Jean Uribe, den er niemals gesehen hatte, werde ihm helfen, und er könnte überdies bei einem in Aussicht stehenden Geschäft sein Glück machen.

Nach seiner Rückkehr ist er überzeugt, von seinen keramischen Arbeiten leben zu können, nur weil seine Freunde und ein oder zwei Sammler sie gelobt hatten. So geht es voll Zuversicht von Plan zu Plan, bis zu dem Augenblick, in dem alles zusammenbricht und er jammert: »Wieder etwas, das meinen Händen entglitten ist!« Man mag wie seinerzeit Pissarro der Ansicht sein, daß Gauguin naiv war, aber diese Naivität und sein immer wieder aufkommender Optimismus waren bei

Pastorale, Martinique. Um 1889. Lithographie, 18 × 22 cm. The Museum of Modern Art, New York (Sammlung Lillie P. Bliss)

der ständig verzweifelten Situation eine Lebensnotwendigkeit für ihn. Dabei darf man annehmen, daß Gauguin, der stets von der Hand in den Mund lebte und dessen Lage immer schwieriger wurde, sich über seine Selbsttäuschung nicht ganz im unklaren war.

Das Motiv seiner Reisen in ferne Länder blieb immer das gleiche. Neben der Verzweiflung über die Gegenwart stand die Hoffnung auf eine bessere Zukunft, die er dort suchte. Seine Liebe zum Primitiven und Exotischen führt man gelegentlich auf das Inkablut seiner peruanischen Großmutter zurück, aber man braucht wahrscheinlich nicht so weit zu gehen. Seit dem Roman Saint-Pierres (1737–1814) ›Paul et Virginie‹ bestand der Glaube, dem auch Gauguin verfiel, daß man am »Ende des Regenbogens« keinen Reichtum mehr brauche. Seine Auffassung vom Leben eines Künstlers, mehr als seine Einstellung zur Kunst selbst, entspringt also weitgehend einer romantischen Tradition, welche das Einfache und Unverdorbene hochschätzte. Lange vor seinem Plan, in die Südsee zu reisen, schrieb er seiner Frau: »Ich gehe nach Panama, um wie ein Wilder zu leben... Ich nehme meine Farben und Pinsel mit, und ich will mich in die Natur versenken, um fern von allen Menschen zu leben.« Aber kaum in Panama, trieb es ihn weiter nach Martinique, wo er bei seiner Ankunft ein »Paradies« vorfindet. Beim Anblick des Ursprünglichen kann er allen Ernstes ausrufen: »Ich bin nicht lächerlich, da ich gleichzeitig zweierlei bin, das nicht lächerlich sein kann: ein Kind und ein Wilder.«

Man braucht nur seine Bilder zu betrachten und die Beschreibung aus Tahiti, ›Der Abend meiner Wahl‹, zu lesen, um zu erkennen, daß in seinem romantischen Denken Kinder und Wilde für ihn dasselbe waren und daß ihr intuitives Erleben für ihn gleichbedeutend mit

Frau in Wellen. 1889. Öl auf Leinwand, 91 × 72 cm.
Sammlung Mr. und Mrs. W. Powell Jones, Gates Mills, Ohio

einem idealen glücklichen Dasein war. »Möge der Tag kommen (vielleicht bald), an welchem ich in die Wälder einer Südseeinsel fliehen und dort in Frieden und künstlerischer Ekstase leben kann.«

Aber die »gefährliche Begierde nach dem Unbekannten, die zu Torheiten verleitet«, war nicht so leicht zu befriedigen, ebensowenig der Wunsch nach Einsamkeit, die er suchte, um dann unter ihr sein ganzes Leben zu leiden. Genauso wie er 1887 von Panama weiter nach Martinique und 1889 von Pont-Aven nach Le Pouldu reisen mußte, sehnte er sich in Tahiti bald noch tiefer in die unbekannte Wildnis hinein, obwohl er sich schon 25 Meilen von der Hauptstadt landeinwärts niedergelassen hatte. Vor Ablauf eines Jahres nach seiner Ankunft schreibt er von dem Wunsch, auf eine Eingeboreneninsel (Hiva-Oa) der Marquesas-Gruppe zu ziehen, »ein kleines Eiland, wo es nur drei Europäer gibt und der Ozeanier weniger durch die westliche Zivilisation verdorben ist«. Wie die meisten seiner Träume, die in ihm eine neue Hoffnung weckten, brauchte auch dieser lange Zeit bis zur Verwirklichung. Neun Jahre später, sechs Jahre nach seiner zweiten Ankunft in Tahiti und nur zwei vor seinem Tode, erreichte er, in »völliger Abgeschlossenheit« leben zu können, noch einmal in der Natur aufzugehen. Drei Monate vor seinem Tode schrieb er: »Hier in meiner Einsamkeit fühle ich mich wohl.«

Es gibt keinen Zweifel, daß Gauguins Verlangen, der Welt zu entfliehen, echt war; es war wie ein Irrlicht, das ihm stets entwich und doch immer vor den Augen tanzte. Auf Renoirs bekannte, spöttische Kritik: »Man kann in den Battignoles (in Paris) ebensogut malen«, kam, ohne daß Gauguin davon wußte, seine Erwiderung aus Tahiti: »Ich stecke mitten in der Arbeit, jetzt, da ich den Boden und seinen Duft kenne; und die Menschen von Tahiti, die ich sehr rätselhaft wiedergebe, sind auf jeden Fall Maoris und keine Orientalen aus den Battignoles. Es dauerte fast ein Jahr, bis ich das erkannte...« Aber auch Verzweiflung über den Augenblick trieb ihn in seine Fluchtunternehmen. Die Trostlosigkeit seiner Lage führte zu der Selbsttäuschung, die sich in seinen Worten äußerte: »Ich habe Grund, zu glauben, daß die Zukunft besser wird.«

Gauguin floh immer von einem Ort, an dem man billig leben konnte, zu einem anderen, an dem es noch billiger war. Zuerst ging er nach Pont-Aven in der Bretagne, weil dort das Leben angeblich nicht teuer war; er fährt nach Panama, wo er glaubt, für nichts existieren zu können; in die Bretagne zurückgekehrt, bezahlt er einen Franc pro Tag für Essen und zehn Centimes für Tabak. Das »Atelier in den Tropen«, zu dem er Emile Bernard und Schuffenecker überreden wollte und das zunächst für Madagaskar und dann für Tahiti geplant war, gründete auf der Überzeugung: »Das Dasein kostet für den nichts, der wie die Eingeborenen leben kann. Allein die Jagd wird genügend Nahrung einbringen.« In Tahiti zieht er aufs Land, weil die Stadt nicht primitiv genug ist, aber auch weil man auf dem Lande billiger lebte. Und endlich vertauscht er Tahiti, wo das Leben »teurer als in Paris« geworden war, mit »einer Insel der Marquesas-Gruppe, wo es sich sehr leicht und sehr billig leben läßt«.

Nur Gauguins Glaube, seine Naivität, von der Pissarro sprach, und seine unglaubliche physische Kraft, die ihm trotz Mißbrauch, Hunger und Krankheit viele Jahre erhalten blieb, ermöglichten dieses immer neue Beginnen. Unbegrenzt konnte es aber nicht so weitergehen. Noch in Panama konnte er, als seine Pläne fehlschlugen, ausrufen: »Nun, die Dummheit wurde begangen, sie muß wieder gutgemacht werden. Ich gehe

Seid geheimnisvoll. 1890. Bemaltes Holzrelief, 73 × 95 cm. Musée d'Orsay, Paris

Auf schwarzen Felsen. 1889. Titelseite des Kataloges der Impressionisten- und Synthetisten-Ausstellung im Café Volpini

Liebt euch, und ihr werdet glücklich sein. 1901. Bemaltes Holzrelief, 97 × 73 cm. Privatbesitz

Geschnitzter Keulenkopf von den Marquesas-Inseln. Holz.
Länge der ganzen Keule 150 cm.
Museum of Primitive Art, New York

Kreuzigung. Holzschnitt, 40 × 13,5 cm.
The Metropolitan Museum of Art, New York

morgen an den Kanal, um die Spitzhacke zu schwingen, ... und wenn ich 600 Francs zusammen habe – eine Angelegenheit von zwei Monaten –, werde ich nach Martinique reisen!« Einen Monat vor seinem Tod dagegen schrieb er in seinem letzten Brief an Daniel de Monfreid: »Man wird sagen, daß ich mein ganzes Leben lang verurteilt war, zu fallen, mich wieder aufzurichten und wieder zu fallen. Mit jedem Tag schwindet meine frühere Kraft.«

Auch in seinen menschlichen Beziehungen verließ sich Gauguin meistens auf bloße Hoffnungen, die er brauchte, um leben zu können, und dies um so mehr, je häufiger sie enttäuscht wurden. Er glaubte allen gelegentlichen Kaufversprechungen, baute ausgeklügelte Pläne auf vage Vermutungen, die zu nichts führten, und handelte auf Grund von Anregungen, die für andere nichts weiter als zufällige Bemerkungen bedeuteten. Enttäuschungen waren in der Folge unausbleiblich; dann bezichtigte er die Menschen des Betrugs, den er nur sich selber vorzuwerfen hatte. Da sein Leben hauptsächlich durch seine Briefe bekannt ist, kann man nur schwer feststellen, wie oft tatsächlich Versprechungen gebrochen und seine Geldforderungen nicht erfüllt wurden. In einigen Fällen (Chaudet und Vollard) scheint Gauguins Zorn berechtigt gewesen zu sein; in anderen, besonders in dem Schuffeneckers, der ihm lange Zeit bei jeder Gelegenheit hilfreich beistand, scheint er die Freundschaftsdienste rasch vergessen zu haben. Trotz seines eigenen ironischen und zynischen Gebarens war er nur zu schnell bereit, mit der Ehrlichkeit des nächsten Freundes oder Bekannten zu rechnen. Vielleicht am ungerechtesten zeigte er sich nach dem Tode von Theo van Gogh. Dessen aufopfernde Treue wird von ihm nie erwähnt, dagegen wird sein Geschick im Verkauf von Bildern später vorwurfsvoll anderen Kunsthändlern als Beispiel vorgehalten. Gauguin betrachtete Theos Tod als eine ihm persönlich zugefügte Beleidigung, geradezu als eine bewußte und beabsichtigte Handlung, die ihn wieder in Not brachte in einem Augenblick, da alles gut zu werden schien.

Gauguin war zweifellos bis zu einem gewissen Grade ein Schauspieler, welcher die Bedeutung eines legendären Rufes und der Publizität kannte. Er machte davon so gut er konnte Gebrauch, hatte aber nicht den Erfolg anderer Künstler. Besonders festzuhalten ist, daß seine Kunst niemals dadurch berührt wurde. Er war ein stolzer Mensch, aber ein demütiger, wenn auch nicht gerade bescheidener Künstler. So konnte er an Schuffenecker schreiben: »Ich sage Ihnen, ich werde erstklassige Dinge schaffen; ich weiß es, und wir werden es sehen. Sie wissen, daß ich in künstlerischen Fragen am Ende immer recht behalte.« Dagegen schrieb er an Emile Bernard: »Wenn ich Ihren Brief lese, wird mir klar, daß wir alle irgendwie das gleiche Schicksal haben. Augenblicke des Zweifels, Ergebnisse, die nie das erreichen, was wir uns ursprünglich erträumt haben, der Mangel an Zuspruch, all das sticht uns wie Dornen ... Im Grunde ist die Malerei wie der Mensch, sterblich, aber lebendig, immer im Kampf mit der Materie. Wenn ich an das Absolute denke, möchte ich alle Bemühungen aufgeben, sogar die, zu leben ...« Gauguin bewahrte sein Leben lang diese Mischung von Stolz und Bescheidenheit; er war sich seiner Anstrengungen bewußt, aber zweifelte am Erfolg. In seinem Todesjahr enthüllt er in einem Brief an Daniel de Monfreid, dem er sich immer ganz offen anvertraute, seine Überzeugung: »Ich wünsche mir nur zwei Jahre Gesundheit und nicht zu viele Geldsorgen, die jetzt meine Nerven übermäßig belasten, um eine gewisse Reife in meiner Kunst zu erreichen. Ich fühle, daß ich mit meiner Kunst auf dem rechten Wege bin, aber werde ich die Kraft haben, ihr in einer gültigen Weise Ausdruck zu verleihen? Auf jeden Fall habe ich meine Pflicht getan, und sollten meine Werke nicht Bestand ha-

Meyer de Haan. Um 1890. Aquarell, 14 × 19,5 cm. Sammlung Wildenstein & Co., New York

Pissarro: Bildnis Paul Gauguin; Gauguin: Bildnis Camille Pissarro. 1883. Zeichnung, Sammlung Paul-Emile Pissarro, Frankreich

ben, so wird doch immer die Erinnerung an einen Künstler bleiben, welcher die Malerei frei gemacht hat...«

Von sehr schwerwiegender Bedeutung in Gauguins Leben war sicher die Trennung von seiner Frau und seinen Kindern, seine Weigerung, für ihre Versorgung einen festen Beruf auszuüben. Dieses Verhalten wirft ein bezeichnendes Licht auf seine Lebenseinschätzung. Seine romantische Lebenseinstellung brachte ihn in Konflikt mit der bürgerlichen Gesellschaft. Wenn seine dänische Frau, Mette Gad, und er auch zwei verschiedene Welten verkörperten, so darf man daraus nicht schließen, daß sie kein Verständnis füreinander aufgebracht hätten. Man braucht für keinen von beiden Partei zu nehmen, aber man darf dabei nicht vergessen, daß es damals in ihrer Ehe neben Enttäuschungen und Vorwürfen auch Liebe und Einsicht gab. Die lange und umfangreiche Korrespondenz zwischen Gauguin und seiner Frau beweist das deutlich. Mette Gad überwand es nie, daß sich der Bankkaufmann, den sie zu heiraten glaubte, als Künstler entpuppte, aber sie scheint trotz dieser bürgerlichen Einstellung ihren Mann geliebt zu haben. Gauguin seinerseits hing an seiner Frau und seinen Kindern zärtlich, obwohl ihn eine starke sexuelle Veranlagung zu einem ungebundenen Leben trieb. Einer allgemeinen Auffassung, die Mätressen duldete, sogar für selbstverständlich betrachtete, entsprachen Gauguins »Vahinas« in viel natürlicherer Weise, und wir können seinen Beteuerungen Glauben schenken, daß dadurch die Liebe zu seiner Familie nicht berührt wurde.

Wie seine Frau es nicht überwinden konnte, daß er sie ihrer Armut und ihrem Schicksal überließ, so konnte Gauguin nicht mit seiner inneren Einsamkeit fertig werden. Im März 1888 schreibt er aus Pont-Aven: »Du hast die Kinder bei Dir, Deine Landsleute, Deine Brüder, Deine Schwestern und Dein Haus.« Immer wieder erwähnt er, wie sehr er die Kinder vermißt; er ist traurig, daß sie ihm nicht schreiben, nicht einmal eine Karte zu seinem Geburtstag. Am schwersten trifft ihn im April 1888 die Nachricht von dem Tode seiner Lieblingstochter Aline: »Diese Nach-

Selbstbildnis (Les Misérables). 1888. Öl auf Leinwand, 45 × 55 cm. Rijksmuseum Vincent van Gogh, Amsterdam. (In der oberen rechten Ecke das Profil von Emile Bernard.)

richt ließ mich zunächst unberührt, denn ich war seit langem geübt im Leiden, aber mit jedem Tag, an dem ich darüber nachdachte, wurde die Wunde tiefer, und augenblicklich bin ich völlig verzweifelt.« Im August desselben Jahres schreibt er: »Ich habe meine Tochter verloren. Ich liebe Gott nicht mehr. Wie meine Mutter hieß sie Aline; jeder Mensch liebt auf seine Art, für einige entsteht die Liebe am Sarg, für andere – ich weiß es nicht. Ihr fernes Grab, die Blumen, alles Einbildung. Ihr Grab ist hier ganz nah bei mir, meine Tränen sind die Blumen, die leben.« Das war der letzte Brief an seine Frau, auf den er niemals eine Antwort erhielt.

Unter den gegebenen Verhältnissen und bei der vollständigen Trennung ist es erstaunlich, daß der Briefwechsel überhaupt so lange aufrechterhalten wurde. Die Briefe zeugen von echter Zuneigung auf beiden Seiten, bei Gauguin allerdings überschattet durch zynische Bemerkungen, in denen er ein Meister war. Die häufigste war eine Variation des Satzes: »Ich glaube, daß die Zuneigung vom Geld abhängig ist« (aus einem Brief vom September 1890). Er machte auch gern Anspielungen auf eine gewisse Dummheit seiner armen Frau. Trotzdem erwiderte sie seine Schreiben, wenn auch unregelmäßig und ohne auf seine Fragen einzugehen; das machte ihn rasend, denn er war hungrig auf Neuigkeiten. In Abständen wiederholte er die Beteuerung seiner Zuneigung, seine Pläne für eine schönere Zukunft und bei jedem noch so schwachen Anzeichen einer Besserung seiner Lage die Versprechungen, durch den Verkauf seiner Bilder für alle zu sorgen. »Deine Briefe bereiteten mir Freude, und gleichzeitig machten sie mir Kummer, der mich in diesem Augenblick niederdrückt. Wenn wir uns wenigstens verabscheuten...« (August 1887) – »Du mußt entschuldigen, wenn ich zur Zeit nicht mehr (Geld) schicke. An dem Punkt, nunmehr gefördert zu werden, muß ich mich für meine Malerei aufs äußerste einsetzen...« (Februar 1888) – »Ich glaube, in der Lage zu sein, Dir in einem Jahr großzügig zu helfen, und ich werde es tun, sobald ich es kann.« (März 1888) – »Ich wollte trotz der Sicherheit, die mein Gewissen mir gibt, andere (Menschen, die auch zählen) zu Rate ziehen, um zu wissen, ob ich meine Pflicht tat. Alle sind meiner Meinung, daß die Kunst mein Beruf ist, mein Kapital, die Zukunft meiner Kinder, die Ehre des Namens, den ich ihnen gab...« (Juni 1889).

Zweifellos war Gauguin stark vom Gefühl bestimmt; Anfeindungen schlugen bei ihm leicht in Selbstmitleid und Sentimentalität um. Vor seiner Abreise nach Tahiti im März 1891 schreibt er an seine Frau: »Meine angebetete Mette, eine Anbetung, häufig voller Bitternis...« und sagt trotz der augenblicklichen Schwierigkeiten voraus: »Jetzt ist die Zukunft gesichert, und ich werde glücklich sein, sehr glücklich, wenn Du sie mit mir teilen wirst.« Neben einer echten und dauernden Zuneigung spürt man wieder jenen, nachträglich gesehen, so lächerlichen Optimismus, der jeder Grundlage entbehrte, wenn er ihm vielleicht auch damals in seiner seltsamen und egozentrischen Art berechtigt erschien. 1902 schreibt er dann an Daniel de Monfreid: »Ich habe noch immer keine Nachrichten (von meiner Frau), und die Kinder kennen mich kaum mehr. Nun wohl! Die Wunde vernarbt allmählich in meiner Einsamkeit.« Vielleicht charakterisierte Gauguin selbst am besten sein Wesen, diese Mischung aus Berechnung und Gefühl, Überheblichkeit und Ergebenheit, als er

Vincent van Gogh, Sonnenblumen malend. 1888. Öl auf Leinwand, 73 × 91 cm. Rijksmuseum Vincent van Gogh, Amsterdam

Bildnis Stéphane Mallarmé. 1891. Radierung, 18 × 14,7 cm. The Museum of Modern Art, New York (Anonyme Stiftung)

Madeleine Bernard eine seiner Keramiken sandte und diese in einem Begleitschreiben mit sich selbst verglich: »Das Gefäß ist zwar kalt, und doch hat es eine Hitze von 1 600 Grad überstanden.«

Unter den großen Künstlern, die vom Impressionismus herkamen, war Gauguin derjenige, welcher diesen Stil am stärksten umformte, und der einzige, der sich schließlich ganz in Opposition zu ihm stellte, obwohl er bis zum Ende niemals ein Prinzip daraus machte. Dabei stand er länger dem Impressionismus nahe als die anderen Nachimpressionisten, nämlich von seinen dilettantischen Anfängen in der Mitte der siebziger Jahre – sein *Pont d'Iéna* zum Beispiel ist einem frühen Monet sehr ähnlich – bis zu seiner Reise nach Martinique im Frühjahr 1887. Sein erstes künstlerisches Interesse, geweckt durch seinen Gönner Gustave Arosa, äußerte sich im Sammeln von zeitgenössischen Werken. Unter der Anleitung von Pissarro, welcher der entschiedenste Gegner seines späteren Stiles wurde, begann er dann selbst zu malen und stellte seine Bilder mit diesem zusammen in den Jahren 1881 bis 1886 aus. In diesem Zeitraum zeigten seine Arbeiten, Gemälde und Plastiken, dann und wann Spuren von einem akademischen Realismus konventioneller Art, gelegentlich, wie in der berühmten *Aktstudie* von 1880 (Farbt. 1), eine Aufrichtigkeit der Sehweise, die Courbet gefallen hätte; im ganzen aber hatte er sich den impressionistischen Stil mit einer Gründlichkeit angeeignet, daß diejenigen, welche in ihm nur den begabten Sammler gesehen hatten, aufs höchste erstaunt waren.

Es war für Gauguin ein ungeheurer Vorteil, daß er, fast unvermittelt, den fortschrittlichsten Stil seiner Zeit in sich aufnehmen konnte. Er brauchte keine akademische Ausbildung zu durchlaufen und hatte deshalb auch keine Konventionen zu überwinden. Seine Laufbahn begann spät, aber sein abgekürzter Weg ließ ihn die verlorene Zeit wieder aufholen. Die leuchtenden Farben, die gebrochenen Töne, die vereinfachten Formen, die künstlerische Verarbeitung der äußeren Erscheinung, des Lichtes und der Atmosphäre, das reizvolle Motiv, das alles erreichte Gauguin in kurzer Zeit. Einflüsse von Renoir und Monet sind in Themenstellung und Ausführung zu erkennen. Doch vermögen wir heute bei der Betrachtung dieser Bilder schon Anzeichen des späteren Stiles wahrzunehmen. Die Räumlichkeit der Impressionisten wird flächiger, die Oberfläche glatter, die Farbgebung freier, die Konturen geschlossener und betonter. Schon vor der Reise nach Martinique begann er, anstelle von Kontrasten ruhigere Farbharmonien und statt der Grundfarben Mischtöne zu verwenden. Damals entstanden Stilleben und Interieurs, deren Nahansichten und räumliche Verdichtung an den zehn Jahre späteren Vuillard gemahnen. Schon in Kopenhagen lehnt sich Gauguin nicht nur gegen das geschmackliche Vorurteil einer engstirnigen Gesellschaft, sondern auch gegen eine verstandesmäßige Kunst auf. »Arbeite frei und besessen, und Du wirst Fortschritte machen«, schreibt er 1885, »vor allem schwitze nicht über einem Bild; ein großes Gefühl kann unmittelbar übertragen werden. Träume darüber und suche die einfachste Form.« Die wenigen Monate eines primitiven Lebens in Martinique im Überfluß der Natur, inmitten ihrer leuchtenden Farben und der Klarheit des Lichtes, verstärkte die Tendenz Gauguins zum dekorativen Symbolismus, den er fortan weiter entwickelte.

In der Bretagne erreichte Gauguin in der Zeit vom Sommer 1888 bis zum Winter 1890 seinen charakteristischen Stil. Damals ging er vom Impressionismus zum »Symbolismus« über, von der getreuen Wiedergabe der Natur zur deutenden Darstellung, von der Beschrän-

Daniel de Monfreid: Selbstbildnis. Um 1893.
Feder und Tusche. Privatbesitz, Frankreich

kung auf einen zufälligen Ausschnitt zum Hinweis auf das Ganze. Die Meinungen, wer den neuen Stil ins Leben gerufen habe, Gauguin oder seine jüngeren Freunde, Emile Bernard und Louis Anquetin, widersprechen sich. Gauguin war empört über die aus Unwissenheit oder mit Absicht geäußerten Behauptungen der Kritiker, Bernard und Anquetin wären die Schöpfer des »Cloisonnismus« oder »Synthetismus« und er lediglich ihr Nachfolger. Diese Frage kann nicht entschieden werden, indem man sich auf einen einzelnen Künstler als Erfinder dieser Stilrichtung versteift oder auf den Vorrang bestimmter Gemälde und auf aus dem Zusammenhang gerissene Behauptungen hinweist. Schon vor dem entscheidenden Zusammentreffen von Gauguin und Bernard in Pont-Aven im August 1888 gab es bei beiden Ansätze, die in dieselbe Richtung wiesen, sonst hätte sich die Begegnung nicht so schicksalhaft und so fruchtbar auswirken können. Seitdem standen Gauguin und seine nächsten Freunde in so enger Verbindung, daß gegenseitige Anregungen unvermeidlich waren.

Überdies wird uns immer klarer, je mehr wir über diese Epoche erfahren und je sorgfältiger wir die Aufzeichnungen darüber lesen, daß die Ideen, welchen Gauguin eine Form gab, in der Luft lagen und nicht nur von Malern, sondern auch von Dichtern und Musikern aufgegriffen wurden. Der Wunsch, Empfindungen unmittelbar durch die abstrakten Elemente von Linie, Form und Farbe – vor allem Farbe – sprechen zu lassen, findet man sowohl in den Bildern wie in den Theorien von van Gogh und Seurat. Van Gogh, literarischer als Gauguin in seiner ersten Konzeption eines Gemäldes, sprach von dem »erschreckenden« Grün und Rot seines *Nachtcafé in Arles,* in dessen Farbtönen und Kontrasten er die Atmosphäre eines sündigen Ortes sah, an dem ein Mensch seine Seele verlieren kann. Später schrieb er von dem Wunsch, »die Hoffnung

Brief an Daniel de Monfreid mit einer Skizze.
Privatbesitz, Frankreich

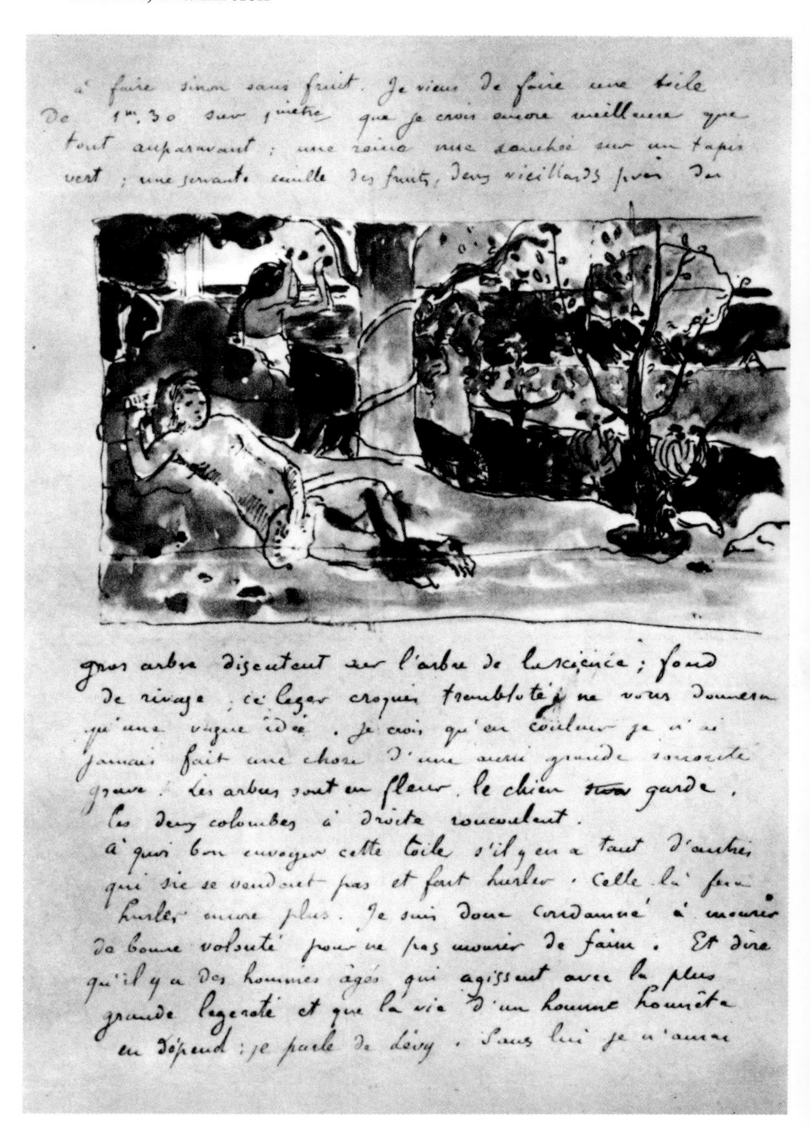

à faire sinon sans fruit. Je viens de faire une toile
de 1m,30 sur 1 mètre que je crois encore meilleure que
tout auparavant; une reine nue couchée sur un tapis
vert; une servante cueille des fruits, deux vieillards près du

gros arbre discutent sur l'arbre de la science; fond
de rivage; ce léger croquis tremblotté ne vous donnera
qu'une vague idée. Je crois qu'en couleur je n'ai
jamais fait une chose d'une aussi grande sonorité
grave. Les arbres sont en fleur, le chien garde,
les deux colombes à droite roucoulent.
à quoi bon envoyer cette toile s'il y en a tant d'autres
qui ne se vendent pas et font hurler. Celle-là fera
hurler encore plus. Je suis donc condamné à mourir
de bonne volonté pour ne pas mourir de faim. Et dire
qu'il y a des hommes âgés qui agissent avec la plus
grande légèreté et que la vie d'un homme honnête
en dépend; je parle de Lévy. Sans lui je n'aurai

Hockende – Frau aus Tahiti. Um 1896. Bleistiftzeichnung. The Art Institute of Chicago

durch irgendeinen Stern, die Sehnsucht einer Seele durch den Glanz eines Sonnenunterganges« auszudrücken. Diese Empfindungen übertrug er unmittelbar auf seine Landschaften mit ihrer kraftvollen Komposition. Seurat beschäftigte sich auf seine Art mit denselben Problemen, aber er ging analytischer und bewußter vor. Seine Theorie von dem Simultankontrast der Linien, Farben und Töne, ermöglichte es ihm, die Stimmung eines Themas – traurig, ruhig oder fröhlich – durch diese abstrakten Formelemente genau einzufangen. Der Begriff Hegels vom »Musikalischen«, das heißt der absoluten und nicht darstellenden Tendenz aller Kunst, findet sich überall in den Äußerungen der Literatur und der bildenden Kunst, gleichgültig, ob diese mehr vom logischen Denken oder vom Gefühl her bestimmt waren.

Schon im Januar 1885, während seines mißlungenen Versuches, bei der Familie seiner Frau in Kopenhagen zu leben, befaßte sich Gauguin mit diesen Problemen. In einem Brief an Emile Schuffenecker schrieb er: »Alle unsere fünf Sinne gelangen direkt zum Gehirn, angeregt durch unzählige Eindrücke, welche durch die Erziehung nicht vernichtet werden können. Ich schließe daraus, daß es edle Töne an sich gibt und gewöhnliche; ruhige, tröstende Harmonien und andere, die uns durch ihre Kühnheit aufregen.«

Schon 1886 bezeichnet sich Gauguin als »Synthetisten«, obwohl er auch weiterhin noch am Impressionismus festhielt. Sein Stil hat offensichtlich verschiedene Quellen: japanische Holzschnitte, die Images d'Epinal, mittelalterliche Glasfenster, aber auch Künstler der Frührenaissance. Vielleicht war sich Gauguin der Bedeutung dieser Einflüsse nicht von Anfang an bewußt. Doch hingen in seinem Zimmer in der Pension Gloanec Reproduktionen von Botticellis *Venus,* der *Verkündigung* von Fra Angelico, der *Olympia* von Manet und Drucke von Utamaro. Großes Interesse schenkte er Degas, der selbst stark von japanischen Holzschnitten beeinflußt war. Im Juli 1888, kurz vor Bernards Ankunft, bezeichnet er eines seiner Bilder als »sehr japanisch, von einem Wilden aus Peru«.

Aus welchen Quellen er auch schöpfte – Emile Bernard gehörte dazu –, sicher ist, daß Gauguin die Ideen, über die er in seinem berühmten Brief an Schuffenecker

Oviri, die Wilde. Um 1891–1893. Terrakotta. Privatsammlung, Frankreich

Die Seine mit dem Pont d'Iéna. 1875. Öl, 65 × 92,5 cm. Musée d'Orsay, Paris

vom August 1898 sprach, weiter entwickelte als alle anderen: »Ein guter Rat: Arbeiten Sie nicht zu sehr nach der Natur. Kunst ist Abstraktion; holen Sie diese aus der Natur, indem Sie vor ihr träumen, und denken Sie mehr an die Schöpfung, die entstehen soll, als an das Vorbild.« Bernard war in seinen Formulierungen klarer, er berief sich auf neoplatonische Philosophen – »die Idee ist die Urform der Dinge«. Unter seinem Einfluß wandte Gauguin sich religiösen Themen wie dem *Kampf Jakobs mit dem Engel* und später dem *Gelben Christus* zu. In der Malerei jedoch machte Gauguin den entscheidenden Schritt, seine Bilder sind die revolutionären. Der Zug zur Abstraktion wird in den Gemälden aus der Bretagne deutlich. Als Reaktion auf den Impressionismus springen nun kühne Konturen anstelle einer naturgetreuen Wiedergabe ins Auge, die perspektivisch-räumliche Wirkung wird durch flächige, voneinander getrennte Formen ersetzt, die Bildebene wird respektiert. Das alles entspringt seiner Vorliebe für das Lineare, seiner Abneigung gegen jede modellierte Form, welche die Bildfläche verfälscht. Da uns die extremen Neuerungen seiner Nachfolger schon selbstverständlich erscheinen, übersehen wir leicht, wie kühn Gauguins Farben für die damalige Zeit waren, nicht nur in dem Grad, in welchem sie von der Natur abweichen, sondern auch in den ungewohnten Zusammenklängen. Wenn wir uns die melancholische Stimmung der bretonischen Landschaft vor Augen halten, so wird uns beim Betrachten seiner Bilder klar, daß seine Farben aus der inneren Vorstellung stammen. Sein späterer Ausspruch »Ich bin kein Maler nach der Natur« bewahrheitete sich schon im Sommer des Jahres 1888.

Während seines zwei Monate langen, tragisch endenden Aufenthaltes bei van Gogh in Arles Ende 1888, fern vom wolkenverhangenen Himmel der Bretagne, änderten sich Gauguins Stil und Palette kaum. Nach wie vor bemühte er sich um eine »Synthese von Form und Farbe, in der er nur das Dominierende berücksichtigt.« Vieles vom Glanz der Südseesonne nahm er hier schon vorweg.

Sitzende Gestalten. 1884. Bleistiftzeichnung, 26 × 19 cm.
Sammlung Miss Selma Erving, Hartford, Connecticut

Frau mit Fuchs. Um 1891. Kreidezeichnung, 31 × 32 cm.
Sammlung Mr. und Mrs. Leigh B. Block, Chicago

Bretonische Mädchen beim Tanz. Um 1888. Pastell, 24 × 41 cm. Stedelijk Museum, Amsterdam

Menschliches Elend. 1889. Lithographie, 28 × 23 cm

Im »Gelben Haus« in Arles lebten die Männer zusammen, malend und diskutierend, – »der eine ein Vulkan, der andere auch siedend, aber nur im Innern«. (Die Schuldlosigkeit Gauguins an der Krankheit seines Freundes steht außer Frage.) Als Maler übten sie wenig Einfluß aufeinander aus. Van Gogh interessierte sich vor allem für das menschliche Drama und für die modellierte Form (Daumier und Millet), Gauguins Vorliebe galt einer kühlen Analyse, der Fläche und Kontur (Ingres und Degas): »Er ist romantisch, und mich zieht es mehr zum Primitiven. Was die Farbe betrifft, scheut er nicht das Wagnis des pastosen Farbauftrags, ich aber hasse den Mischmasch der Ausführung.« So konnten sich die beiden in der Auffassung ihres persönlichen Stiles gegenseitig nur bestärken. Einige wenige Gemälde van Goghs, die während des täglichen Zusammenseins in diesen zwei Monaten entstanden, etwa *L'Arlesienne,* zeigen eine Beeinflussung durch Gauguins glatte Flächen und kurvige Linien. Vielleicht übertrug auch van Gogh etwas von seinem Empfinden für das Tragische auf Gauguin; die größere Tiefe der religiösen Bilder von 1889 (Farbt. 14) deuten dies ebenso an wie seine späteren Bemerkungen über diese Zeit. Jedoch haben die klare Komposition und die Oberflächenbehandlung seiner Landschaften aus Arles mehr mit Cézanne gemeinsam als mit van Goghs ungestümer Malweise (Farbt. 9).

In den folgenden zwei Jahren, die jeweils mit einem Aufenthalt in Paris begannen, ehe Gauguin im Frühling in die Bretagne zurückkehrte, erreichte er den Höhepunkt seines frühen Stiles. Wie Maurice Denis später schrieb, war Gauguin zu dieser Zeit der »unumstrittene Meister« der neuen Richtung in der Malerei, »von dem man aufnahm, dessen paradoxe Auffassung man verbreitete... Ohne jemals die Schönheit im klassischen Sinn gesucht zu haben, hat er uns fast sogleich von sich eingenommen«. Es bestand nun kein Zweifel mehr, daß er und seine Schüler sich gegen den Impressionismus aufgelehnt hatten. Wenn trotzdem die berühmte Bilderschau im Café Volpini anläßlich der Weltausstellung von 1889 den Titel ›Impressionisten und Synthetisten‹ trug, so geschah es aus dem Wunsch, an irgendeine, wenn auch junge Tradition anzuknüpfen.

Die Ausstellung, von Schuffenecker organisiert, umfaßte die Maler der Schule von Pont-Aven, jene Künstler, welche Gauguin in der Bretagne um sich versammelt hatte. Er selbst war mit siebzehn, Bernard mit über zwanzig, Monfreid mit drei Gemälden vertreten. Van Gogh lehnte es ab, sich zu beteiligen: Toulouse-Lautrec war nicht zugelassen. Die Ausstellung, die von der Menge höhnisch verlacht wurde, machte die Gruppe doch auf der Stelle allgemein bekannt. Von größter Bedeutung war ihr Einfluß auf eine Vereinigung junger Künstler, die »Nabis«, welche bis dahin von Gauguins neuen Wegen nur unbestimmte Vorstellungen hatten. Paul Sérusier, Maurice Denis, Aristide Maillol, Edouard Vuillard und in geringerem Maße auch Bonnard, sie alle verwirrte und erregte diese neue Richtung in der Malerei, die in den folgenden zehn Jahren eine entscheidende Rolle in der Entwicklung ihres Stils spielen sollte. So war Paul Gauguin, obwohl bis zu diesem Zeitpunkt eigentlich unbekannt, schon ein »alter Meister«.

Wieder in der Bretagne, zuerst erneut in Pont-Aven und dann in dem abgeschiedenen Le Pouldu, war Gauguin besonders schöpferisch. Der aufrichtige und offenherzige Glaube der bäuerlichen Bevölkerung beeindruckte ihn, der nicht religiös im herkömmlichen Sinne war, aber einen Hang zum Mystischen hatte, in starkem Maße. Er malte sie, seiner Vorstellung vom Primitiven entsprechend, idealisiert und nicht in ihrer ärmlichen Wirklichkeit. Wenn er einmal geäußert hat,

Emile Bernard: Schweinehirtin bei Pont-Aven. 1888. Öl auf Leinwand, 50 × 63 cm. Galerie Hirschl und Adler, New York

der Künstler solle »vor der Natur träumen«, so sind diese Bilder Träume voll innigen Mitgefühls (Farbt. 5). Sarkastisch und scharf war er, wie viele andere, nur denen gegenüber, die ihn gut verstanden. Die kleinen Leute der Bretagne sah er mit romantischen Augen, auch wenn sie kein Verständnis für seine Kunst hatten, für sein Ideal der Menschlichkeit. Bei Degas, den er bewunderte, vermißte er »ein Herz, das sich rühren läßt. Auch die Tränen eines unwissenden Kindes bedeuten etwas«.

Die gleiche Liebe für das Einfache und Echte findet man auch in seinem Stil. Gauguin mißtraute allem Überfeinerten, in der Kunst und bei den Menschen. Er schätzte die »Barbarei« mehr als die »Zivilisation«, wie er später einmal an Strindberg schrieb. Flächen und kontrastierende Farben hielt er für ehrlicher als die modellierte Form, in welche sich nach seiner Ansicht die flüchteten, die nicht zeichnen konnten. Merkwürdigerweise erschwerte die Vereinfachung der Sehweise und der Technik die Deutung seines Anliegens. Nachdem die möglichst getreue Wiedergabe der Natur nicht mehr das Ziel des Malers war, wurde sie ein vieldeutiges Modell. Seine Darstellung, die keine Schilderung im ursprünglichen Sinn mehr ist, hat symbolischen Charakter, sie geht weit über die Grenzen der Natur und damit über den eigentlichen Ausgangspunkt hinaus. Als Gauguin im Winter 1890/91 in enge Verbindung mit symbolistischen Schriftstellern und Dichtern kam, verstand er deren Sprache, und jene erblickten in seiner Kunst eine Parallele zu ihren eigenen Absichten und Wegen.

So wurde der »Wilde« ein Freund derjenigen, die wie Verlaine das Differenzierte, die Nuance suchten. Durch den Kritiker Albert Aurier, einen Freund Bernards, der ihn einführte, lernte er allmählich alle literarischen Avantgardisten kennen: Stuart Merill, Jean Moreas,

Die Alyscamps in Arles. 1888. Öl auf Leinwand, 92 × 73 cm. Musée d'Orsay, Paris

Charles Morice und Mallarmé, von dem er eine Porträtradierung anfertigte (Seite 22), Verlaine und Paul Fort; ebenso die ganze Gruppe des neuen ›Mercure de France‹. Er begegnete auch Carrière und Rodin, zwei Freunden, die auf ihre eigene Weise Symbolisten waren. In diesem Milieu fand er Verständnis für seine Kunst, wenn auch nicht immer für seine Person. Sein Streben nach Vereinfachung und mystischem Erlebnis war auch ihnen eigen, ebenso wie seine Liebe zum Exotischen und die gelegentliche Andeutung von Satanischem. Trotzdem konnte er es nicht unterlassen, häufig ironische Anspielungen auf sie zu machen. Als Gauguin, der lange zwischen Madagaskar und Ozeanien als Reiseziel geschwankt hatte, sich endlich entschloß, gegen den Rat Redons, des anderen »Symbolisten«, allein nach Tahiti zu fahren, verfaßte Octave Mirbeau auf Wunsch Mallarmés für die Verkaufsausstellung, welche die Reise finanzieren sollte, einen Aufsatz. Aus seinen Worten vernehmen wir, wie die Symbolistengruppe über Gauguins Malerei dachte: »Ein leidvolles Werk; um es zu verstehen, muß man selbst Leid und die Ironie des Leides, welches die Schwelle zum Mysterium ist, kennengelernt haben. Manchmal erhebt es sich zu der Höhe eines mystischen Glaubensbekenntnisses; manchmal sinkt es herab und schneidet Fratzen aus der Finsternis des Zweifels... Es gibt in diesem Werk eine glänzende und köstliche Mischung von barbarischer Pracht, von katholischer Liturgie, von Hindu-Träumerei, von gotischer Bildwelt, von düsterem und zartem Symbolismus; es gibt rauhe Wirklichkeit und den Höhenflug der Poesie. Gauguin schuf dadurch eine absolut persönliche und ganz neue Kunst...«

Am 1. Juni 1891 kam Gauguin in Tahiti an. Schon lange hatte er diese Reise erwogen und sogar mit van Gogh darüber gesprochen, als sie beide ihr Atelier im Süden planten, dem später das »Atelier in den Tropen« folgen sollte. Obwohl er seit langem »die Tahitianer als glückliche Bewohner des ozeanischen Paradieses, die

Van Gogh: Die Alyscamps in Arles. 1888. Öl auf Leinwand, 93 × 73 cm. Sammlung Mr. und Mrs. Edwin C. Vogel, New York

L'Arlésienne, Madame Ginoux. 1888.
Farbstifte und Kohle auf Papier, 56 × 49 cm.
The Fine Arts Museum, San Francisco

nur die freundlichen Seiten des Lebens kannten«, im Geiste vor sich sah, dauerte es einige Zeit, bis er sich soweit eingewöhnt hatte, daß er seine Umgebung malen konnte. »Ich habe schon so viel gesehen, daß ich verwirrt bin«, schrieb er im Juli. Kaum war er in Tahiti, dachte er wieder an Paris und machte einige Monate lang nur Skizzen für Bilder, die er nach seiner Rückkehr in Frankreich ausführen wollte, genau wie Delacroix, dessen Tagebücher Gauguin kannte, in Nordafrika zahlreiche Studien für spätere Verwendung anfertigte. Diese Unentschlossenheit, die beweist, daß Gauguin sich gleichermaßen in sein Exil verbannt wie von ihm angezogen fühlte, währte bis zu dem Augenblick, als er am Ende seines Lebens die Legende, die sich um ihn gebildet hatte, zerstören und als Unbekannter über Paris nach Spanien fahren wollte. Noch ein anderer Widerspruch blieb bei ihm bestehen: Nachdem er so weit gereist war, um die richtige Umgebung für seine Kunst zu finden – »ich hoffe«, hatte er an Redon geschrieben, »hier unten meine Kunst um ihrer selbst willen auszuüben im Zustande der Primitivität und Wildheit. Dafür brauche ich Ruhe«, – wiederholte er andererseits: »Ich bin zufrieden, in mir selbst zu suchen und nicht in der Natur, um ein bißchen zeichnen zu lernen...« Welche Ironie, so weit zu reisen und doch zu wissen, daß »mein künstlerisches Zentrum in meinem Gehirn liegt und ich stark bin..., weil ich male, was in mir ist«.

Gauguins Stil änderte sich nur wenig in den zwölf Jahren, die ihm noch blieben. In Tahiti trat in seiner Auffassung vom Primitiven das Exotische an die Stelle des Bäurischen, und auch hier finden wir häufig in seinen Werken die Wiedergabe eines schlichten, religiösen Glaubens, der ihn schon in der Bretagne so stark bewegt hatte. Auch hier trug er die Idee in sich, und seine jeweilige Umgebung stellte mehr den Rahmen als den Inhalt seines Traumes. Manchmal handelte dieser Traum von einer wilden Eva, die »ohne Scham noch nackt vor unsere Augen treten kann und die ganze Ursprünglichkeit ihrer animalischen Schönheit behalten hat«; einer Eva, die ein spöttisches Lächeln auf ihren Lippen hat und uns rätselhaft ansieht. Es war eine Eva, die Strindberg nicht verstehen konnte, weil er, wie Gauguin sagte, »unter der Zivilisation litt«. Gelegent-

Van Gogh: L'Arlésienne. 1888. Öl auf Leinwand, 91 × 73,6 cm.
The Metropolitan Museum of Art, New York

Emile Bernard: Apfelpflückerinnen. 1890. Öl auf Leinwand, 55 × 46 cm. Sammlung Mr. und Mrs. Lee Eastman, New York

lich malte er den Traum dieser Eva, wie er ihn sich vorstellte, die Legenden und die Mythen einer primitiven Religion in seiner symbolischen Art, wie in *Der Geist der Toten wacht* (Farbt. 21) oder *Der Mond und die Erde* (Farbt. 25). Hin und wieder entstanden auch Landschaften.

Bezeichnend ist, daß seine Malerei auch in Tahiti häufig durch fremde Kunst angeregt wurde. Obwohl Gauguin ein Neuerer war, hatte er einen ausgesprochenen Sinn für Tradition, und trotz seiner sehr bestimmten Vorstellungen war er auch ein Eklektiker. Die Formen und die Anordnung von Relieffriesen aus Java und Ägypten, die Meditationsstellung des indischen Buddha, die rhythmische Bewegtheit der Parthenonfiguren, die er in Abbildungen aus Paris mitgebracht hatte, waren von starkem Einfluß auf seine Bilder in Ozeanien. Er wurde von ihnen angeregt, wie früher von Monet, Puvis de Chavannes und den frühen Italienern.

Im Laufe der zwölf Jahre zwischen Gauguins erster Ankunft in Tahiti und seinem Tod auf den Marquesas beruhigte sich sein Stil. Die achtzehn Monate, die er zwischendurch in Frankreich verbrachte, unterbrachen diese Entwicklung nicht. Er malte auch weiterhin seine Figuren ohne wesentliche perspektivische Verkürzungen, aber ihre Formen wurden gerundeter und modellierter. Die kräftigen Konturen der bretonischen Bilder werden schwächer, doch sind die Farbflächen nach wie vor klar gegeneinander abgesetzt; gleichzeitig ist die Linienführung geschmeidiger und flüssiger. Oft passen sich die Formen Winkeln an und sind plötzlichen Richtungsänderungen unterworfen. Mit gewissen Ausnahmen neigt er zu friesähnlichen Kompositionen. Weniger häufig wendet er nun die Linearperspektive und den Blick von oben an wie bei seinen früheren bretonischen Bildern. Dagegen tritt auch die Verflachung des Raumes, die den Bildern der achtziger Jahre eigentümlich ist (*Bretonische Bäuerinnen,* Farbt. 5), nicht mehr so stark in Erscheinung. Der Aufbau erfolgt in übereinanderliegenden, parallel zur Bildfläche angeordneten Ebenen, die, ähnlich wie die Flachreliefs, die ihn so stark beeinflußt hatten, mehr Raum vortäuschen als wirklich vorhanden ist. Fast immer schließt Gauguin den Betrachter aus seinen Bildern aus, deren Figuren

Die Schwarze Jungfrau. 1889–1890. Keramik, Höhe 48 cm. Sammlung Harry Guggenheim, New York

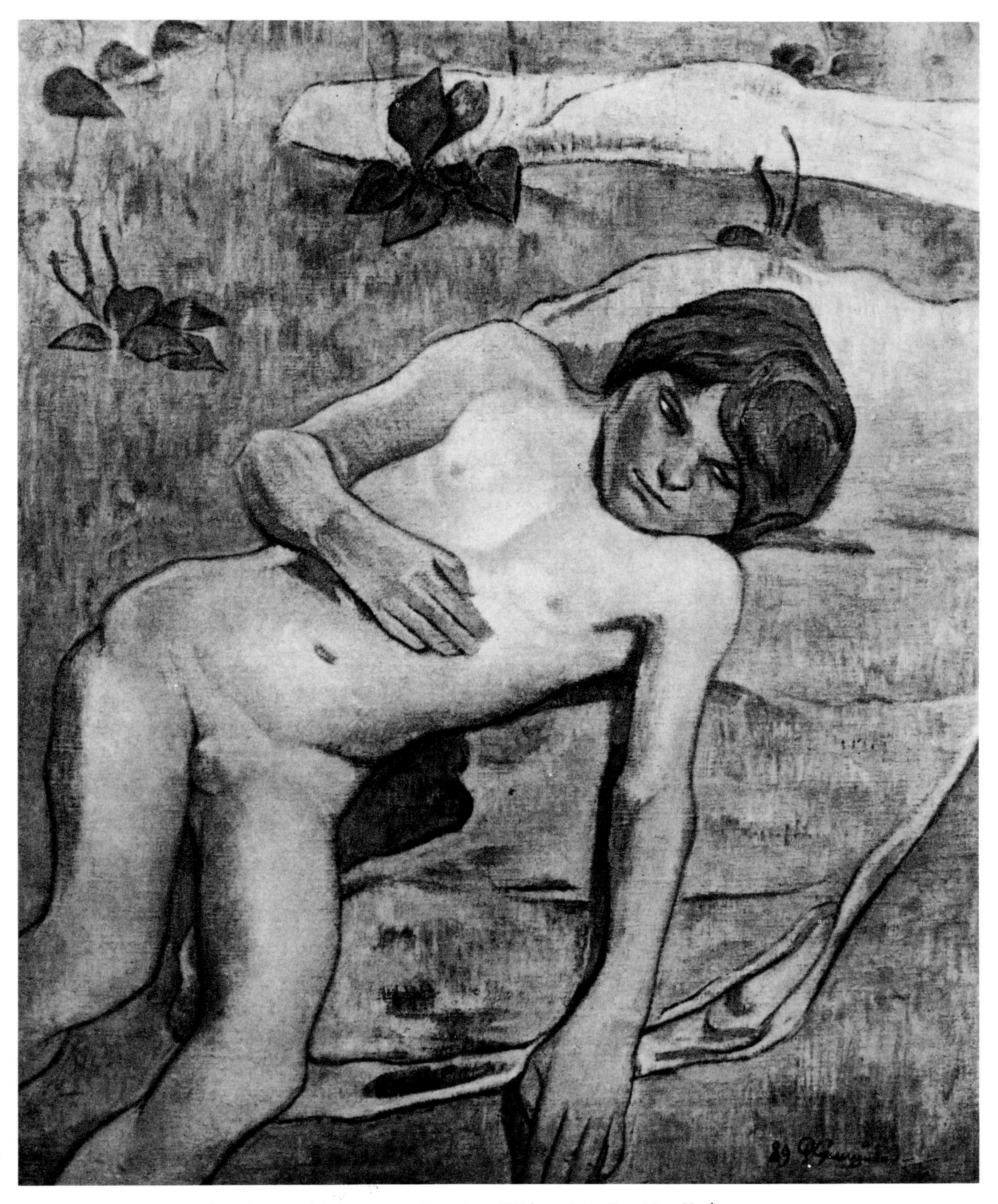

Bretonischer Junge. 1889. Öl auf Leinwand, 93 × 74 cm. Sammlung Wildenstein & Co., New York

Porträt Madame Schuffenecker. 1888–1889. Keramikvase.
Sammlung Emery Reves

leuchtender sind und weniger von einer feuchten Atmosphäre haben als seine Werke aus der Südsee, die er unter dem Glanz einer feurigen Sonne malte. Im ganzen sind die späteren Bilder freier und sicherer gemalt, unprogrammatischer in der Konzeption. Weniger kühn und daher nicht so bedeutungsvoll für die Zukunft, wirken sie anmutiger und nuancierter in Farbe und Malweise.

Gauguin hatte großen Einfluß auf die Entwicklung der Malerei. Die analytische Auffassung von Cézanne und Seurat lösten den Kubismus und die geometrische Abstraktion aus. Durch konsequente logische Weiterführung ihrer Ideen gelangte man an den Gegenpol des Ausgangspunktes, nämlich der Naturbeobachtung. Diese Richtung war, neben den Fauves und den Expressionisten, die Gauguin sehr viel verdankten, in der ersten Hälfte unseres Jahrhunderts vorherrschend.

Es dauerte länger, bis Gauguins Bedeutung erkannt wurde, doch war sein Einfluß dann ebenso wesentlich

Mädchenkopf. Um 1889. Keramik, Höhe 20 cm

oft in verhaltenen, rhythmischen Bewegungen eines kultischen Tanzes eingefangen sind, in einer rätselhaften Gebärdensprache, die er sehr liebte. Gauguin, der von weit her gekommen war, um sich in diese uralte, für ihn aber neue Daseinsform zu versenken, schien dieses Schauspiel immer mit den Augen eines Fremden zu betrachten; so taucht in der rechten oberen Ecke der *Geburt Christi* plötzlich die Erinnerung an einen Stall aus seiner Heimat auf. Wie Seurat und Cézanne gibt auch Gauguin auf seine Art als Reaktion auf den zufälligen Naturausschnitt der Impressionisten dem Bild seine eigene, selbständige Welt wieder.

In Tahiti wird seine Palette reicher und vielseitiger, manchmal hell wie in der *Geburt Christi* (Farbt. 30), manchmal strahlend wie in *Ta matete* (Farbt. 19), häufig düsterer als die Farben seiner Bilder aus Europa. Welch starke Rolle in Gauguins Malerei die eigene Vorstellung spielte, erkennt man daran, daß die bretonischen Bilder

Bananenträger. Um 1897. Holzschnitt, 16 × 28,5 cm. National Gallery of Art, Washington, D. C. (Sammlung Lessing Rosenwald)

Torso einer Tahiti-Frau. 1893. Terrakotta, Höhe etwa 35 cm. Sammlung Mr. und Mrs. William B. Jaffe, New York

Zwei Köpfe. Monotyp, 46 × 34 cm. National Gallery of Art, Washington, D. C. (Sammlung Lessing Rosenwald)

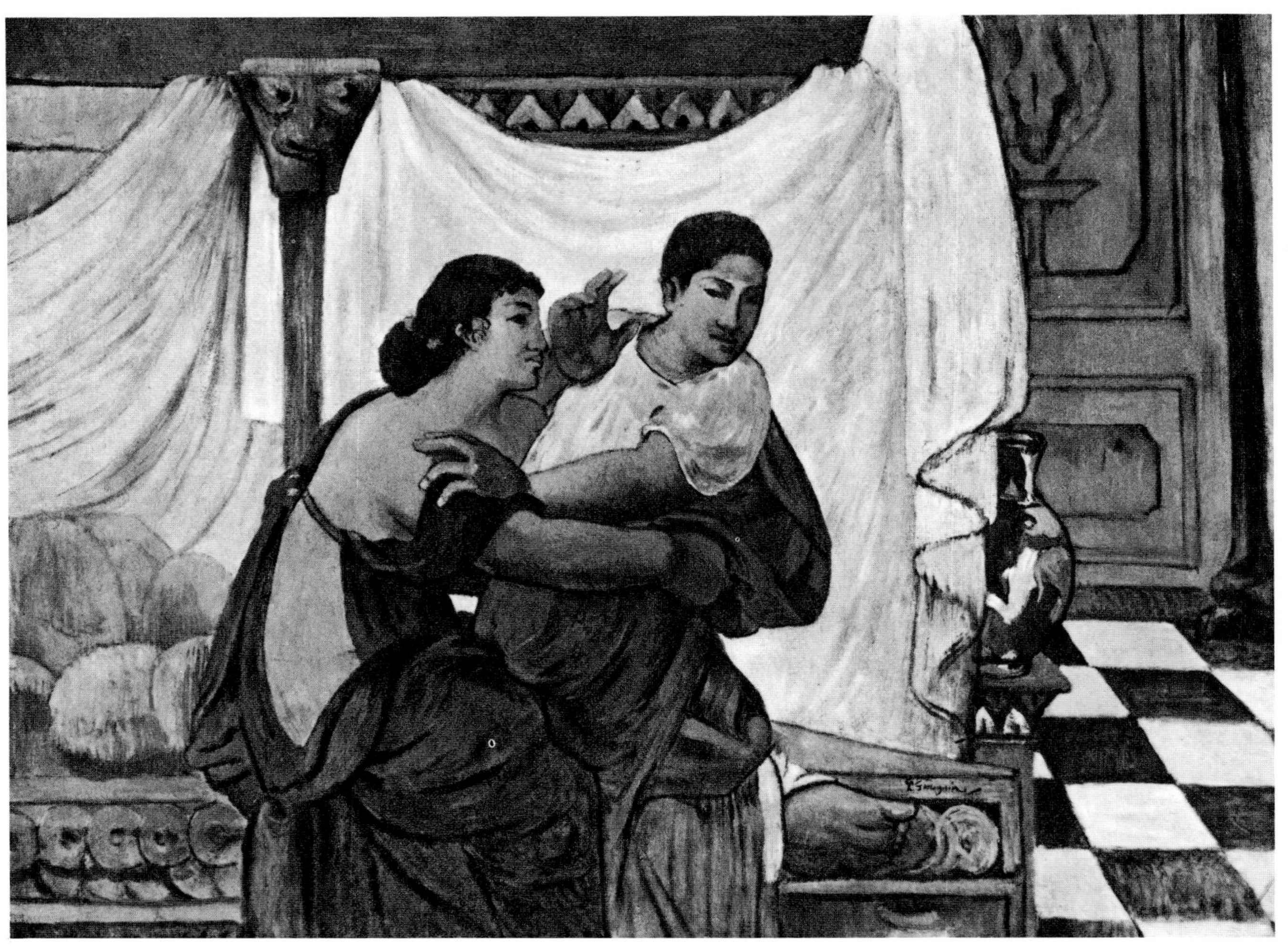

Joseph und Potiphars Weib. 1896. Öl auf Leinwand, 88 × 117 cm. Museum São Paolo, Brasilien.
Mit freundlicher Genehmigung von Wildenstein & Co., New York

und nachhaltig. Die späteren Maler übernahmen von ihm zahlreiche formale Elemente. Durch seine Betonung der Linie – »es gibt nur die Zeichnung« – und die Verflächigung nimmt er manches dem Jugendstil vorweg, der sich in den neunziger Jahren in Europa und in den Vereinigten Staaten entwickelte. Ähnliche Vorgriffe findet man auch bei Seurat und van Gogh. Aber Gauguin hatte ein stärkeres Empfinden für die klar umrissenen Formen und die geschwungenen, stilisierten Linien, die in den Bildern der achtziger Jahre erstmalig auftreten und in denen von Tahiti immer wiederkehren; sie haben eine rhythmisch-dekorative Kraft, die für die Zukunft bedeutsam wurde. Bonnard, Vuillard und die anderen Nabis übernahmen sie in ihren frühesten – und besten – Werken und beeinflußten so auf direkte und indirekte Weise die Fauves. Seine Palette, die keine Grundfarben kennt, mit ihren rosa und orangefarbenen, violetten und olivbraunen Tönen, die er in gewagten Farbklängen zusammenstellt, finden

Pierre Paul Prud'hon: Joseph und Potiphars Weib. Um 1793. Zeichnung

Stilleben mit ›*Die Hoffnung*‹. 1901. Öl auf Leinwand. Privatsammlung

wir ähnlich bei Matisse und einigen seiner Zeitgenossen wieder. Wie diese baute Gauguin seine Farbharmonien auf verwandten und nicht auf kontrastierenden Tönen auf. Gauguins Vereinfachung der Konturen und der plastischen Form, seine bewußt groben, kraftvollen Holzschnitte, welche die zufällige Beschaffenheit des Materials voll zur Geltung bringen, waren grundlegend für Munch und die deutschen Expressionisten. Und schließlich lassen sich von ihm die fließenden, abstrakt-organischen Formen von Mirò, Arp und deren Nachfolger ableiten (*Sonntag*, Farbt. 27).

Der entscheidende Beitrag Gauguins zur Kunst ist aber der Bruch mit der Vergangenheit und damit der Beginn der Moderne in der Malerei. Von größerer Bedeutung als seine Ablehnung des Impressionismus war seine neue Einstellung zum schöpferischen Vor-

Puvis de Chavannes: Die Hoffnung. 1872.
Öl auf Leinwand, 70 × 82 cm. Musée d'Orsay, Paris

gang überhaupt. Nach seiner Meinung waren die Impressionisten zu naturgebunden, zu stark von der Beobachtung abhängig: »Sie vernachlässigen die geheimnisvolle Bedeutung des Gedanklichen. Kunst ist Abstraktion; entnimm sie der Natur, indem du vor ihr träumst.« Er wollte aber auch keine Rückkehr zu den Allegorien von Puvis de Chavannes, die von »einer literarischen Idee« ausgingen, genau nach »Naturskizzen und vorbereitenden Studien« ausgeführt waren und in denen jede Figur einen vorbestimmten Sinn hatte. Das war in den Augen Gauguins nur eine andere Art von Naturschilderung.

Von Anfang an lag Gauguin mehr an der »Suggestion als an der Beschreibung«. Schon 1885, als er noch impressionistisch malte, bestand für ihn die Bedeutung Raffaels darin, daß bei diesem die Empfindung vor der Überlegung zur Form wurde, etwas, was die akademischen Maler niemals verwirklichten. Die Kunst dürfe nicht mehr der Natur dienen, und die Überlegenheit der primitiven Kunst, »die vom Geist herkommt und die Natur nur verwendet«, läge in der Vermeidung des naturalistischen Irrtums. Diese Rückkehr zum Primitiven taucht in verschiedenen Formen in Gauguins Gedanken auf. So fühlt er sich als ein Wilder, der die Zivilisation flieht – »Barbarei ist für mich eine Verjüngung« –, als ein Indianer, der befreit ist von jeder Sentimentalität –, »als ein Kind und ein Wilder«. Immer schätzte er das Einfache in der Kunst am höchsten: »Der große Irrtum ist das Griechische.« In der Kunst Ägyptens, Persiens, Kambodschas, den japanischen Holzschnitten und den Images d'Epinal fand er seine Vorbilder. »Sucht die einfachste Form«, sagt er schon 1885 und wiederholte dies 1899, als er sein Bild *Woher kommen wir?* verteidigt, ein Werk, in dem er versuchte, »seinen Traum ohne Hilfe literarischer und nur mit den einfachsten handwerklichen Mitteln zu verwirklichen«. Man findet diesen Gedanken noch einmal, als er 1901 an Charles Morice schreibt: »Sind die

Le Père Paillard. 1892. Holz, Höhe 68,5 cm.
Sammlung Chester Dale

Tohotaua. Die Aufnahme wurde 1901 in Gauguins Atelier auf der Insel Atuana gemacht und an Daniel de Monfreid geschickt. An der Wand hängen Reproduktionen von Bildern von Puvis de Chavannes, Degas und Holbein. Privatbesitz, Frankreich

Mädchen mit Teufel. 1895–1903. Monotyp. Privatsammlung, Frankreich

Original-Druckstock des Holzschnittes ›Mahana atua‹. Um 1895. National Gallery of Art, Washington D. C. (Sammlung Lessing Rosenwald)

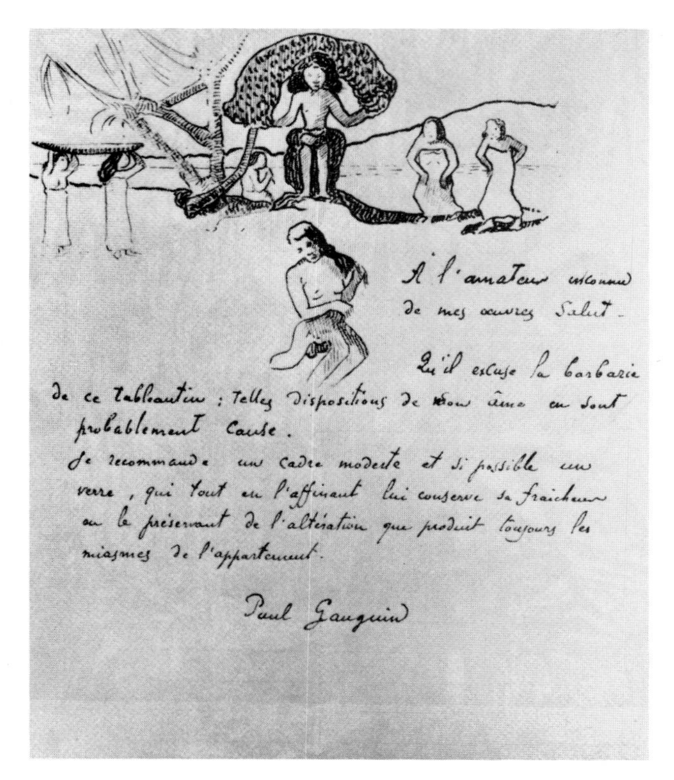

A l'amateur inconnu de mes oeuvres Salut –

Qu'il excuse la barbarie de ce tableautin : telles dispositions de mon âme en sont probablement cause.

Je recommande un cadre modeste et si possible un verre, qui tout en l'affinant lui conserve sa fraicheur en le préservant de l'altération que produit toujours les miasmes de l'appartement.

Paul Gauguin

Brief mit Skizze zu ›Mahana atua‹. Feder und Tusche, 25 × 19 cm. Sammlung Mr. und Mrs. Alex M. Lewyt, New York

Formen rudimentär? Sie müssen es sein. Ist die Aufführung zu einfach? Sie muß es sein.«

Wo fand Gauguin seine Formen, wie kam er zu seinem Stil? Wie wir sahen, nicht in der Natur. »Ich bin kein Maler nach der Natur – jetzt (1900) weniger als zuvor. Alles vollzieht sich bei mir in meiner tollen Phantasie.« Schon 1888 malte Gauguin vielfach ohne Modell, und selbst seine Stilleben in Tahiti entstanden auf diese Weise. An die Stelle des Natürlichen treten bei ihm Geheimnis, Rätsel und Eingebung. »Man muß im ganzen in der Malerei mehr das Suggestive als die Beschreibung anstreben, wie es in der Musik der Fall ist«, schreibt er 1901 an Monfreid. Eine zu große technische Perfektion nimmt dem Bild die Fähigkeit, die Phantasie anzuregen. »Wird nicht das Wunder durch die Andeutung beschworen, da unsere Natur das Absolute nicht erträgt?« Das Wesentliche eines Bildes liegt nicht in seinem Titel oder seinem Thema, sondern in jenen sichtbaren Elementen, aus denen es komponiert ist; nicht in der Naturwiedergabe, sondern in der Anordnung seiner Linien, Formen und Farben, deren »musikalische« Werte die Kraft der Suggestion besitzen. »Wann werden die Menschen verstehen, daß die Ausführung, die Zeichnung und die Farbe in Einklang

Die Nahrung der Götter (Mahana atua). Um 1895. Holzschnitt, 18 × 20 cm. National Gallery of Art, Washington D. C. (Sammlung Lessing Rosenwald)

Original-Druckstock des Holzschnittes ›Le Sourire‹, National Gallery of Art, Washington, D. C. (Sammlung Lessing Rosenwald)

Das Lächeln (Le Sourire). 1899. Holzschnitt, 10 × 18 cm

Selbstbildnis. Um 1891. Flachrelief in Gips.
Privatbesitz, Frankreich

stehen müssen mit der Dichtung? Meine Akte sind ohne Kleider keusch. Worauf kann dies zurückgeführt werden, wenn nicht auf gewisse Formen und Farben, welche sie der Wirklichkeit entrücken.« Er wurde sein ganzes Leben hindurch, während er sich um Vervollkommnung bemühte, von dem Grundsatz geleitet: »Kunst ist Abstraktion.« Aber diese vom Gefühl getragene Abstraktion kann nicht mit logischen Mitteln entwickelt werden. Der Künstler hat keine bewußte Kontrolle über das Wesen seiner Kunst, deren Gestaltwerdung nichts mit dem Verstand zu tun hat. In allen seinen Briefen und Tagebüchern und vor allem in seiner Auseinandersetzung über sein großes Bild *Woher kommen wir?,* das gleichzeitig sein malerisches Vermächtnis darstellt, beruft sich Gauguin auf die unbewußten Quellen der Eingebung. Er »malte und träumte zur gleichen Zeit«, aus seinem Traum erwächst die Form, wobei er alle Gefühle und Empfindungen der Vergangenheit anrief, bis »ein bestimmter günstiger Augenblick erreicht ist, in dem sich dies alles verdichtet und zur Ausführung hinreißt...; die kühlen Berechnungen der Vernunft haben bei diesem Schöpfungsakt keine Macht, denn wer weiß, wann im Schoße des Seins das Werk begonnen wurde – unbewußt – vielleicht«.

So nahm Gauguin die Grundlagen der modernen Malerei voraus: den Antinaturalismus, den immer stärkeren Glauben an die Wege der reinen Malerei, die Bereitschaft, das Werk aus sich heraus reifen zu lassen und den Eingebungen zu folgen, die der Künstler während des Malens erhält. In Tahiti zitierte Gauguin Mallarmé, der ihm aus dem Herzen gesprochen hatte: »Immateriell und von höherer Ordnung, ist das Wesentliche eines Werkes genau das, ›was nicht ausgesprochen wird, es resultiert zwangsläufig aus Linien ohne Farben oder Inhalt; es ist immateriell‹.« Dieselbe Einstellung zum Kunstwerk hat die heutige Zeit. Gauguin war sich ihrer entscheidenden Bedeutung für die Zukunft bewußt. »Sie wissen seit langem«, schrieb er im Oktober 1902 an de Monfreid, »was ich erreichen wollte: das Recht, alles zu wagen.« Daneben war er sich darüber im klaren, daß die Wurzeln seiner Kunst in der Vergangenheit lagen, zu Delacroix und der Romantik zurückreichten. Schon Baudelaire hatte geschrieben: »Was ist die reine Kunst nach unserer heutigen Vorstellung? Sie ist die Schöpfung einer höheren Eingebung, die zugleich Objekt und Subjekt umfaßt, die Welt außerhalb des Künstlers und die in ihm.«

Selbstbildnis. Um 1902. Bleistiftzeichnung.
Privatbesitz, Frankreich

Frau von königlichem Geblüt (Te arii vahiné). Um 1896. Holzschnitt, 17 × 28 cm. Brooklyn Museum, New York

Biographie

1848 Paul Gauguin wurde am 7. Juni in der Rue Notre Dame de Lorette 56 in Paris geboren. Sein Vater, Clovis Gauguin, ein Journalist, kam aus Orléans; seine Mutter, Aline Chazal (Tochter der Florine Tristan, bekannte Verfasserin von religiösen Sittenschriften), stammte aus einer spanischen Familie, die sich in Peru niedergelassen hatte.

1851 Als Napoleon III. an die Macht kam, wanderte die Familie nach Peru aus. Gauguins Vater starb während der Reise und wurde in Port-Famine in der Magellan-Straße beigesetzt. Gauguin, seine Mutter und seine Schwester Marie lebten in Lima.

1855 Paul, seine Mutter und seine Schwester kehren nach Frankreich zurück und wohnen bei dem Onkel, Isidore Gauguin, in der Rue Endelle 7 in Orléans.

1859 Gauguin kommt in das Petit Seminaire, eine Volksschule in Orléans.

1865 geht er als Steuermannsmaat zur Handelsmarine (wie Baudelaire und Monet). Seine erste Reise führt ihn auf der »Luzzitano« von Le Havre nach Rio de Janeiro, wo er den ersten Eindruck exotischer Länder bekommt.

1868 Eintritt in die Kriegsmarine am 26. Februar. Er kommt auf den Kreuzer »Jérôme Napoleon«.

1871 Beendigung der Dienstzeit im April. (Während er auf See war, starb seine Mutter; seine Schwester heiratete einen chilenischen Kaufmann, Juan Uribe.) Am 23. April beginnt er seine Tätigkeit bei der Firma Bertin, Börsenmakler, durch Vermittlung des Bankiers Gustave Arosa, den Gauguins Mutter gebeten hatte, nach ihm zu sehen; die Firma war in der Rue Laffitte (in dieser Straße gab es auch Kunstgalerien). Hier begegnete er Emile Schuffenecker.

1872 Er kommt in der Firma gut voran, sein Lebensstandard und seine finanzielle Lage sind ausgezeichnet.

1873 Am 22. November heiratet er Mette Sophie Gad, ein Mädchen aus Kopenhagen, auf dem Standesamt des 9. Arrondissements; die kirchliche Trauung fand in der Lutherischen Kirche in der Rue Chauchat statt.

1874–76 Gauguin fängt an, sonntags zu malen, studiert die Modelle in der Colarossi-Akademie; er trifft Pissarro und durch ihn die anderen Impressionisten; er beginnt, deren Bilder zu sammeln.

Im September 1874 werden sein Sohn Emile, im Dezember 1876 seine Tochter Aline geboren.

1876 stellt er eine Landschaft im ›Salon‹ aus.

1877 wohnt er in der Rue des Fourneaux.

1879 wird im Mai sein Sohn Clovis geboren. Während des Sommers arbeitet Gauguin mit Pissarro in Pontoise.

1880 mietet er ein Atelier in der Rue Carcel 8, im Vaugirard-Viertel, wo er bis 1883 bleibt.

Er nimmt an der 5. Ausstellung der impressionistischen Gruppe teil, die im April in der Rue des Pyramides abgehalten wird.

1881 Beteiligung an der 6. Impressionisten-Ausstellung, die bei Nadar auf dem Boulevard des Capucines stattfindet. Seine *Aktstudie* wird von Huysmans gelobt.

Er verbringt die Sommerferien in Pontoise bei Pissarro und lernt dort Cézanne kennen, den der verehrt, ohne von ihm stärker beeinflußt zu werden.

1882 Im März Teilnahme an der 7. Impressionisten-Ausstellung, Rue St. Honoré.

1883 Ohne seine Familie oder Freunde zu unterrichten, kündigt er seinen Dienst. »Von jetzt ab werde ich jeden Tag malen.« Während des Juni arbeitet er bei Pissarro in Osny. Im November sucht er ein Haus in Rouen. Seine Tochter Paula wird im Dezember geboren.

1884 Im Januar Übersiedlung Gauguins mit Frau und Kindern nach Rouen. Im November zieht die ganze Familie nach Kopenhagen.

1885 Gauguin arbeitet als skandinavischer Vertreter der französischen Firma Dillies & Cie. für wasserdichte Leinwand.

Auseinandersetzungen mit seiner Frau, deren Familie und Freunden.

Seine Ausstellung in Kopenhagen (April?) schließt schon nach fünf Tagen.

Im Juni kehrt er mit seinem Sohn Clovis nach Paris zurück und wohnt in der Impasse Fremin. Ende September ist er in Dieppe, anschließend auf einer dreiwöchigen Reise nach London.

Im Oktober zieht er in die Rue Cail um.

1886 Im April erkrankt Clovis; in seiner Not muß Gauguin für fünf Francs pro Tag Plakate ankleben.

Er nimmt an der 8. (und letzten) Impressionisten-Ausstellung teil, die im Mai und Juni in der Rue Laffitte stattfindet. Ende Juni, nachdem er Clovis in einer Pension im Vorort Antony untergebracht hatte, geht er nach Pont-Aven in der Bretagne und wohnt dort in der Pension Gloanec. Im August findet hier die erste kurze und nicht sehr herzliche Begegnung mit Emile Bernard statt.

Im November kehrt er nach Paris zurück und trifft van Gogh auf dem Montmartre. Während des Dezembers liegt er im Krankenhaus. Er meidet Pissarro und begegnet Degas im Café de la Nouvelle Athènes.

1887 Am 10. April schifft er sich mit dem Maler Charles Laval in St. Nazaire nach Panama ein (»Ich gehe nach Panama, um wie ein Wilder zu leben«), wo sein Schwager Juan Uribe beschäftigt ist und hofft, daß er auf einer benachbarten Insel umsonst leben kann. Einen Monat lang arbeitet er am Kanal. Als man ihn hinauswirft, geht er im Juni nach Martinique. Er wird krank, und im Herbst verdient er seine Rückreise nach Frankreich als Matrose. Zurück in Paris im November, wohnt er im Hause Emile Schuffeneckers in der Rue Boulard. Er hofft, seinen Lebensunterhalt durch die Herstellung von Keramiken zusammen mit Chaplet zu verdienen, der sich aber zurückzieht.

1888 Februar bis Oktober: Gauguins zweiter Aufenthalt in Pont-Aven.

Im August zweites, diesmal positives Zusammentreffen mit Emile Bernard (der sich mit seiner Mutter und Schwester Madeleine in Pont-Aven aufhält). Aus ihren Diskussionen heraus entspringt der »Synthetismus« und entstehen die ersten religiösen Bilder.

Im Herbst (Oktober?), dank der Begeisterung Theo van Goghs, erste Einzelausstellung bei Boussod und Valadon auf dem Montmartre-Boulevard; sie enthält Keramiken und Gemälde aus der Bretagne und aus Martinique. Anfang Oktober malt Paul Sérusier den *Talisman* unter Gauguins Anleitung; nach seiner Rückkehr nach Paris zeigt er ihn seinen »Nabi«-Freunden (Bonnard, Vuillard, usw.) zur Demonstration der neuen antiimpressionistischen Lehren.

Am 20. Oktober kommt Gauguin in Arles an (Theo van Gogh hat seine Reise bezahlt), um Vincent van Gogh zu treffen, bei dem er bis zu den tragischen Vorfällen des 24. Dezember bleibt. Anderntags kehrt Gauguin nach Paris zurück.

1889 Kurzer Aufenthalt bei Emile Schuffenecker, bevor er in der Avenue Montsouris ein Atelier mietet, wo er bis April bleibt.

Ausstellung im ›Salon des XX‹ in Brüssel.

Besuch der Pariser Weltausstellung; er ist von dem javanischen Dorf begeistert.

Rückkehr im April nach Pont-Aven. Schuffenecker arrangiert eine Ausstellung der »Impressionistischen und synthetischen Gruppe« im Café des Arts (Café Volpini) auf dem Champ de Mars, die im Spätfrühling

(Anfang Juni?) eröffnet wird. Skandal und Gelächter, kein Verkauf. Gauguin kehrt für kurze Zeit nach Paris zurück.

Im Oktober zieht er, da Pont-Aven von Malern und Feriengästen überfüllt ist, zusammen mit Paul Sérusier, der sich ihm einen Monat zuvor angeschlossen hatte, nach Le Pouldu.

Teilnahme an einer Ausstellung »Französischer und nordischer Impressionisten« in Kopenhagen.

1890 Ende Januar zurück in Paris, wieder kurzer Aufenthalt bei Schuffeneckers. Beschäftigt sich erstmals mit dem Gedanken, nach Madagaskar zu gehen, um das »Tropenstudio« zu gründen. Versucht, Emile Bernard und Schuffenecker zu überreden, ihn zu begleiten.

Im Juni Rückkehr nach Le Pouldu, wo er bis Dezember bleibt (abwechslungsweise in Gesellschaft von de Haan, Laval, Sérusier und Filiger). Allmählich und auf Anraten von Madame Redon gibt er den Madagaskar-Plan zugunsten einer Reise nach Tahiti auf, wo er sich ein leichteres und billigeres Leben erhofft.

Im Dezember kehrt er nach Paris zurück.

1891 Nachdem er im Januar bei Schuffenecker ausziehen mußte, wohnt er in der Rue Delambre, dann in der Rue de la Grande Chaumière. Durch Albert Aurier trifft er die Gruppe des ›Mercure de France‹ im Café François Premier. Er besucht häufig die Symbolistengruppe an ihren Montagabend-Zusammenkünften im Café Voltaire.

Auf das Drängen von Pissarro und Mallarmé hin schreibt Octave Mirbeau einen Artikel über Gauguin, der im Februar im ›Echo de Paris‹ erscheint.

Im März wird ein Aufsatz Auriers über Gauguin im ›Mercure de France‹ veröffentlicht.

Um sich für seine Reise nach Tahiti die nötigen Geldmittel zu verschaffen, entschließt sich Gauguin zu einer Auktion im Hotel Drouot. Dreißig Bilder sind zum Verkauf ausgestellt. Der Erlös beträgt annähernd 10 000 Francs. (Eine Gemeinschaftsausstellung für Gauguin und Paul Verlaine, die im »Theâtre d'Art« von Paul Fort – dem späteren Schwager Emile Bernards – abgehalten wurde, schloß mit Verlust ab.)

Er begibt sich am nächsten Tag auf eine kurze Reise nach Kopenhagen, wo er am 26. Februar ankommt. Zurück in Paris um den 20. März. Am 23. März findet zu Ehren Gauguins ein Abschiedsbankett im Café Voltaire statt. Mallarmé präsidiert, annähernd dreißig Künstler und Schriftsteller sind anwesend, darunter Redon, Carrière, Alfred Valette, Aurier, Jean Moreas und Saint-Paul Roux. Am 4. April Abfahrt von Marseille nach Tahiti über Melbourne, Sidney und Noumea. Ankunft in Papeete am 1. Juni, das er bald verläßt, um unter den Eingeborenen, 25 Meilen im Süden, im Bezirk Mataiea, zu wohnen. Seine Vahina (Geliebte) heißt Tehura.

Im November erhält er seinen ersten Brief aus Frankreich von Paul Sérusier.

1892 Arbeit an der ersten Zeichnung von ›Noa-Noa‹. Er malt sehr fleißig.

Im März wird er ins Krankenhaus eingeliefert.

Im Juni bittet er den Gouverneur, ihn zu repatriieren, aber nachdem er ein Bild für 400 Francs verkauft und das Versprechen (das nie gehalten wird) eines Porträtauftrages erhält, ändert er seine Absicht.

Seine Werke werden in einer Sammelausstellung moderner Malerei in Kopenhagen ausgestellt.

Im September bekommt man in Paris das erste Gemälde aus Tahiti zu sehen.

Er schreibt die ›Cahiers pour Aline‹.

1893 Im Juni reist Gauguin über Noumea und Sidney nach Frankreich, nachdem er von seiner Frau 700 Francs (für Bilder, die sie verkauft hat?) erhält. Mit 4 Francs in der Tasche kommt er am 4. August in Marseille an. Postlagernd erwarten ihn hier 250 Francs (von Sérusier geliehen und durch Monfreid überwiesen) für seine Rückfahrt nach Paris, wo er am 6. August eintrifft. Ende des Monats fährt er nach Orléans zum Begräbnis seines Onkels.

Im September mietet er in der Rue de la Grande Chaumière ein Atelier; dann zieht er in die Rue Vercingétorix, wo er mit Annah, einer Javanerin, wohnt; er schmückt es mit exotischen Gegenständen aus und gibt wöchentliche Empfänge.

Auf Degas' Drängen erklärt sich Durand-Ruel einverstanden, Gauguin auszustellen. Er eröffnet am 4. November und zeigt 38 Tahiti-Bilder, sechs aus der Bretagne sowie zwei Skulpturen. Charles Morice schreibt das Vorwort für den Katalog. Verkauf von elf Gemälden, der Ertrag deckt kaum die Kosten; aber die Ausstellung zog eine Anzahl interessierter Besucher an.

Ende Dezember erhält er sein Erbteil aus dem Nachlaß seines Onkels; seiner Frau in Dänemark schickt er nichts.

1894 Besuch in Brügge im Januar, hauptsächlich, um Memlings Bilder zu betrachten. Kurze Reise nach Kopenhagen, um seine Frau und Kinder wiederzusehen. Es war das letzte Mal.

In der Bretagne (Pont-Aven und Le Pouldu) von April bis Dezember.

Mai: Im Verlauf einer Rauferei mit Matrosen in Conconcarneau (sie machten über Annah Bemerkungen) bricht er sich den Fuß.

Er plant die Rückkehr in die Südsee; dieses Mal – wenn möglich – mit Freunden.

Bei seiner Rückkehr nach Paris entdeckt er, daß Annah sein Atelier bis auf seine Bilder ausgeräumt hat und verschwunden ist.

1895 Entschluß, nach Tahiti zurückzukehren.

Am 18. Februar findet im Hotel Drouot eine Auktion von Gauguins Gemälden statt. Als Vorwort des Kataloges erscheint ein Briefwechsel mit August Strindberg. Der Ertrag beläuft sich nur auf einige hundert Francs. Er muß viele Bilder zurückkaufen.

Abfahrt nach Tahiti im März, Ankunft dort im Juli.

Weil er Papeete noch stärker europäisiert vorfindet, denkt er an eine Übersiedlung nach den Marquesas, baut sich aber statt dessen ein großes Haus im Eingeborenenstil an der Westküste im Bezirk von Pounoaouia.

1896 Einsamkeit, körperliches Leiden und Verzweiflung erreichen im Oktober ihren Höhepunkt. Im Laufe des Novembers fühlt er sich besser und arbeitet mehr. Seine Vahina heißt Pahura.

1897 Wieder im Krankenhaus.

Er erfährt im Mai (?) vom Tod seiner Tochter Aline. Im August bricht er die Korrespondenz mit seiner Frau ab, nachdem er wieder keine Briefe von seinen Kindern zu seinem Geburtstag erhalten hatte; er leidet immer noch unter dem Verlust seiner Tochter.

1898 Am 11. Februar unternimmt er einen Selbstmordversuch, nachdem er *Woher kommen wir...?* als sein Vermächtnis gemalt hat. Der Versuch mißlingt.

Im April bekommt er Arbeit im Büro für Öffentliche Angelegenheiten, die er bis März 1899 beibehält. Im August (?) geht er nach Papeete.

Ende des Jahres beginnt er mit dem Verkauf von Bildern an Vollard, zu Preisen, die er für viel zu niedrig hält. Rückkehr in sein Haus in den Bergen.

1899 Schwierigkeiten mit den örtlichen Behörden, die er beschuldigt, sie verfolgten ihn. Veröffentlicht ›Die Wespen‹ und ›Das Lächeln‹, satirische Blätter, in denen er die Eingeborenen gegen die Behörden verteidigt.

1900 Durch Krankheit den größten Teil des Jahres am Malen gehindert. (März bis November?) Kein Geld für ärztliche Behandlung. Erst Ende Dezember Aufnahme im Krankenhaus. Vertrag mit Vollard.

1901 Er verläßt im Februar »nicht ganz geheilt« das Krankenhaus.

Im April Erkrankung an Influenza. Er überlegt den Verkauf seines Hauses, »um sich auf einer Insel der Marquesas niederzulassen, wo das Leben leicht und sehr billig ist«. Verläßt sich darauf, daß er auf Grund seines Vertrags mit Vollard leben kann.

Im August zieht er, von seinen Ekzemen noch nicht geheilt, nach Atuana auf der Dominique-Insel (Hiva-Oa) in der Marquesas-Gruppe.

1902 Das Jahr vergeht in verhältnismäßig ruhiger und harter Arbeit.

Im August leidet er so unter seinen Ekzemen und einer Herzschwäche, daß er an eine Rückkehr nach Paris denkt, um sich kurieren zu lassen. Daniel de Monfreid rät ihm davon ab, indem er ihm bedeutet, daß das seine »Legende« zerstören würde.

Im Januar und Februar schreibt er ›Avant et Après‹ (Vorher und Nachher).

1903 Im Februar sucht ein Zyklon die Inseln heim.

Im April wird Gauguin zu drei Monaten Gefängnis verurteilt, weil er gegen die skandalöse Behandlung der Eingeborenen durch die Behörden protestierte. Er beabsichtigt, in Tahiti Berufung einzulegen.

Seinem Nachbarn, Pastor Vernier, schreibt er: »... Ich bin krank und kann nicht mehr gehen.«

Paul Gauguin stirbt am 8. Mai.

Farbtafeln

1 Aktstudie

1880
Öl auf Leinwand, 115 × 80 cm
Ny Carlsberg Glyptothek, Kopenhagen

Nachdem Gauguin seinen eigenen Stil gefunden hatte, betonte er verschiedentlich, daß er »kein Maler nach der Natur« sei. Dieses Bild jedoch, das er als »Sonntagsmaler« schuf, ist noch ganz naturalistisch, aber es hat nichts Zufälliges oder leicht Hingemaltes, keine Oberflächeneffekte, sondern ist mit peinlichster Sorgfalt durchgearbeitet. Die exakte Darstellung jedes Details, die objektive Wiedergabe ohne persönliche Aussage ist für dieses Bild charakteristisch. Das gilt vor allem für den Akt selbst, aber ebenso für die Behandlung der Oberflächenbeschaffenheit der verschiedenartigen Dinge ringsum, der Farbe des Tuches in der oberen Ecke des Bildes, der Wand und des Stoffes, an dem die Frau näht. Die Wiedergabe ist so naturgetreu, daß man das Konventionelle, fast Banale der Situation und der Komposition vergißt, die im Grunde bei einem Anfänger, noch dazu einem Gelegenheitsmaler, verständlich ist: den Faltenwurf, der an bestimmte Draperien von Delacroix erinnert, die Gitarre, die den Raum in der Ecke füllt, das Kissen auf dem Bett und die unbestimmbare Entfernung der Wand im Hintergrund.

An diese kompromißlose Ehrlichkeit dachte der Schriftsteller Huysmans, als er 1881 über dieses Bild schrieb: »Ich zögere nicht zu erklären, daß keiner der zeitgenössischen Aktmaler die Wirklichkeit so kraftvoll darstellt, und dabei nehme ich Courbet nicht aus.« Huysmans, der zu dieser Zeit noch Naturalist war, wollte damit sagen, daß Courbet die Stimmung Balzacs, Gauguin die von Zola getroffen habe. Aber das gilt nur für dieses Bild, denn Gauguins Realismus war von kurzer Dauer.

2 Schnee in der Rue Carcel

Um 1882
Öl auf Leinwand, 60 × 50 cm
Ny Carlsberg Glyptothek, Kopenhagen

Gauguin entwickelte sich überraschend und schnell zum Maler. Er begann spät, hatte aber den Vorteil, die akademischen Studienjahre überschlagen zu können. Ohne Umwege eignete er sich die fortschrittlichste Malweise seiner Zeit, den Impressionismus, an. Doch dauerte es eine Reihe von Jahren, bis er dessen stilistische Eigenart und künstlerische Ideen verstanden und verarbeitet hatte. Ganz plötzlich aber brach dann sein eigener neuer Stil hervor.

Das Gemälde *Schnee in der Rue Carcel* aus der Zeit, als Gauguin seinen Beruf aufgab, um Maler zu werden, zeigt deutlich, wie gründlich er den Impressionismus in sich aufgenommen hatte. Der zufällige Bildausschnitt, der Vordergrund, der bis an den Betrachter heranreicht, die breiten Pinselstriche, die übereinanderliegenden Farbschichten, all dies verrät die impressionistische Herkunft. Ein besonderes Merkmal der Impressionisten in diesen Jahren – im Gegensatz zu ihrer früheren Malweise, die einen Reichtum an Kontrasten bevorzugte – ist die Harmonie verwandter Farbtöne und eine größere Zurückhaltung im Ausdruck. Doch fehlt der Darstellung die Heiterkeit impressionistischer Bilder. Sie ist öde, wie verlassen. Man kann darin die Spiegelung der düsteren Stimmung des Künstlers sehen, einen Vorboten seiner zunehmenden Einsamkeit, die ihn für den Rest seines Lebens begleitete.

3 Uferlandschaft in der Bretagne

1886
Öl auf Leinwand, 75 × 112 cm
Privatbesitz

Im Juni 1886 beteiligte sich Gauguin an der letzten Kollektivausstellung der Impressionisten. Nachdem er für die Unterkunft seines Sohnes Clovis in einem Pensionat eines südlichen Pariser Vorortes gesorgt hatte, brach er Ende Juni zu seinem ersten Aufenthalt in der Bretagne nach Pont-Aven auf, wo er bis Mitte November blieb. Dieses Bild entstand an der atlantischen Küste nahe der Mündung der Aven.

Monet blieb dieser letzten Impressionisten-Ausstellung fern; einer der Gründe war, daß er weder Gauguin noch seine Kunst leiden konnte, obwohl dieser, was gerade bei der *Uferlandschaft* deutlich wird, in Themenstellung, Technik und Ausführung vieles dem älteren Meister verdankte. Auch Monet arbeitete 1886 an der Küste, zunächst in Etretat in der Normandie, wo er das Spiel der Sonne auf den weißen Kreidefelsen einfing, und dann auf der Belle-Isle, einer Insel vor der Bretagne, wo die Felsen dunkler sind. Gauguins Gemälde ist kontrastreicher als die atmosphärischen Arbeiten von Monet, aber seine Farben sind gedämpft und nicht leuchtend. Eine Frau und Tiere bereichern die Szene und geben ihr etwas Genrehaftes. Die Darstellung hat manches von der ästhetischen Auffassung der Impressionisten verloren, dafür an ursprünglicher Ausdruckskraft gewonnen. Die Malweise jedoch entspricht mit ihren kleinteiligen Pinselstrichen der impressionistischen Technik; das Bild wurde zweifellos nach der Natur gemalt. Über allem liegt das Spiel des Lichtes. Nur die Gestalt der Bäuerin weist auf den flächigen Stil seiner späteren Malerei hin.

4 Tropische Pflanzenwelt

1887
Öl auf Leinwand, 116 × 89 cm
Sammlung Mr. und Mrs. Alexander Maitland, Edinburgh

Nach einem Aufenthalt von einigen Wochen in Panama verbrachte Gauguin den Sommer und Herbst des Jahres 1887 auf Martinique. Diese Zeit verstärkte seine Neigung zum Dekorativen, die gelegentlich schon in früheren Bildern sichtbar wurde. Seine Verbindung mit dem Impressionismus bricht nun vollends ab, und er findet in der neuen Umgebung seinen eigenen Stil. Das starke Licht und die leuchtenden Farben der Insel, vor allem die üppige Vegetation, die sein Auge überall fesselte, sprachen sein dekoratives Empfinden an.

Das wird in diesem Bild sichtbar, das wie ein Gobelin behandelt ist. Die Baumgruppen mit ihrem dunklen, von warmen Gelbtönen durchsetzten Grün sind wenig modelliert. Sie erscheinen vereinfacht als sich überschneidende Flächen, deren gezackte oder gerundete Kanten in einem rhythmischen Crescendo von dem Weg im Vordergrund zu den fernen Hügeln und zum Himmel aufsteigen.

Der kurze, feine Pinselstrich der Impressionisten ist breiter und flächiger geworden, auch fehlt die Differenzierung durch Sonnenstrahlen. Reichtum und Leuchtkraft der Farben beschränken sich nicht auf einzelne Schlaglichter, sondern durchdringen die ganze, gleichsam gewobene Bildfläche.

5 Bretonische Bäuerinnen / Der Tanz der vier Bretoninnen

1888
Öl auf Leinwand, 72 × 91 cm
Bayrische Staatsgemäldesammlungen, Neue Pinakothek, München

Wenige Monate, bevor dieses Bild entstand, hatte Gauguin an seine Frau geschrieben: »Du mußt daran denken, daß ich zwei Naturen in mir habe: die indianische und die sensitive. Letztere ist verschwunden, und die indianische kann unbeirrt und sicher ihren Weg gehen.« Doch fiel es Gauguin schwer, in der Malerei und in seinen menschlichen Beziehungen »sein empfindsames Herz« ganz zu verschließen. Sein Bild soll die schlichte Poesie bäuerlichen Lebens, wie er sie empfand, die unberührte Natur und die echte Verbundenheit dieser Menschen untereinander zum Ausdruck bringen. Ein malerisches Empfinden bleibt zwar erhalten, doch ist es dem Gefühl für das Einfache untergeordnet.

Die bäuerliche Tanzszene wurde hier in flächig-dekorativer Weise dargestellt. Die Vorliebe der Impressionisten für strahlendes Licht, das die klaren Formen verwischt, und für subtilste, mit kurzen Pinselstrichen gemalte Farbabstufungen kommt überall im Bild zum Ausdruck. Der Raum jedoch ist verflacht, und es gibt keinen Horizont. Die Gestalten füllen die Leinwand aus, die Umrißlinien ihrer Arme, der weißen Hauben und der ausgeprägten Profile sind von kühnem dekorativem Schwung. Um Verkürzungen zu vermeiden, sind die Köpfe zur Seite gewandt und die Körper so angeordnet, daß die zwischen ihnen liegenden Räume hervorgehoben werden. Die Haltung der Arme, die geneigten Köpfe der beiden Frauen zur Rechten erinnern an ähnliche Stellungen bei Courbet, der vermutlich Gauguin beeinflußte. Sie vermitteln eine Poesie des Gefühls, das einer natürlichen Anmut entspringt, wie man sie unter einfachen Menschen und Bauersleuten häufig findet.

6 Jakobs Kampf mit dem Engel/Vision nach der Predigt

1888
Öl auf Leinwand, 73 × 92 cm
National Galleries of Scotland, Edinburgh

Im Sommer 1888 kam der junge Emile Bernard nach Pont-Aven, wo Gauguin arbeitete. Er hatte den Kopf voll von Theorien, die den Impressionismus überwinden sollten. Das Ergebnis dieser Begegnung war der »Synthetismus«, für den dieses Gemälde, das damals entstand, das erste Beispiel ist. Vermutlich wurde es von Bernards *Bretonischen Frauen auf der Wiese* beeinflußt.

Es ist ein kühnes Bild mit religiösem Inhalt, das Bekenntnis eines neuen künstlerischen Glaubens. Religion und Kunst verbanden sich in der Vorstellung Gauguins. »Ein guter Rat«, schrieb er an Schuffenecker, »arbeiten Sie nicht zu sehr nach der Natur, Kunst ist Abstraktion; holen Sie diese aus der Natur, indem Sie vor ihr träumen, und denken Sie mehr an die Schöpfung, die entstehen soll, als an das Vorbild. Der einzige Weg, Gott nahe zu kommen, ist, es so zu machen, wie unser göttlicher Herr: schöpferisch zu wirken.«

So hat sich Gauguin eine Vision vorgestellt, die eine Sonntagspredigt bei diesen Bäuerinnen mit ihrem tiefen und schlichten Glauben hervorruft. Indem die Frauen im Vordergrund uns den Rücken zuwenden, scheinen sie uns von dem, was sie sehen, ausschließen zu wollen; im Hintergrund spielt sich der symbolische Kampf ab auf einer großen Fläche von unwirklichem Rot, die ein Feld oder auch der Himmel sein kann. Die farbigen Flächen der einzelnen Gegenstände werden durch kräftige Konturen voneinander geschieden – eine Malweise, die dem Impressionismus genau entgegengesetzt ist. Es gibt kein Modellieren mit Farbtönen, keine verschwommenen Ränder, keine Atmosphäre, welche Form und Farbe dämpft. Die nur wenig abgetönten Flächen von Weiß, Schwarz, Blau und Rot überraschen durch die Kraft der Kontraste; ein Mittelgrund wurde absichtlich vermieden, um die Bäuerinnen und ihre Vision voneinander zu trennen. Zum ersten Mal gibt Gauguin seiner Komposition die bewegte Einheit aus geschwungenen, rhythmischen Umrissen, die in vielen seiner späteren Bilder wiederkehren.

Das Bild hat vielerlei Quellen: die gebogene Diagonale des Baumstammes und die senkrecht gestellte Grundfläche weisen ganz allgemein auf den japanischen Holzschnitt, während die Ringenden auf einen genau zu bestimmenden Druck von Hokusai zurückgehen; die Umrisse und die flächigen, kühnen Farben sind mit mittelalterlichen Glasfenstern und den Images d'Epinal verwandt, die auch religiösen Themen gewidmet sind; der Impressionismus ist noch spürbar in der Art, wie die Figuren durch den Rahmen überschnitten werden. Alle diese Quellen sind zu einer neuen Konzeption vereinigt.

»Ich glaube«, schrieb Gauguin an van Gogh, »in diesen Figuren eine große bäuerliche und abergläubische Einfachheit erreicht zu haben. Alles ist sehr streng.«

7 Bretonische Landschaft mit Schweinehirt

1888
Öl auf Leinwand, 74 × 93 cm
Sammlung Norton Simon, Los Angeles

In diesem Bild zeigt sich Gauguin noch als Impressionist. Es ist mit den charakteristischen kleinteiligen Pinselstrichen gemalt, und selbst die besonders auffallenden Formen der Schweine vorn und der Häuser im Hintergrund haben keine festen Umrisse. Raumtiefe ist vorhanden, aber die zurückweichenden und sich überschneidenden Bildebenen gehen ohne klare Scheidung, wie sie für Cézanne so bezeichnend ist, ineinander über. Die linke Seite des Bildes, besonders das Feld im Vordergrund, scheint auf den ersten Blick von einem Impressionisten gemalt zu sein. Nur die Farben – das Nebeneinander von Purpur, Rosa und Violett – deuten auf den späteren typischen Stil Gauguins hin. Bei genauerem Hinsehen entdecken wir auch die fortlaufenden, kurvigen Linien seiner späteren Zeit. Die Konturen sind noch unregelmäßig und wenig hervortretend, doch finden wir sie angedeutet im linken oberen Bildteil und in den Feldern rechts vom Schweinehirten; schon hier weisen sie darauf hin, daß Gauguin im Bildaufbau eine geschlossenere, straffere Komposition anstrebte, als sie die Licht- und Farbenspiele von Monet und Renoir darstellen.

Aus diesem Bild spricht die Vorliebe des Malers für das schlichte und eintönige Leben des Bauern, das anscheinend keine Probleme kennt. »Ich liebe die Bretagne«, schrieb Gauguin an seinen Freund Schuffenecker. »Ich finde dort Unberührtheit und Primitivität. Wenn meine Holzschuhe auf dem Granitboden klappern, höre ich den dumpfen, schweren, aber machtvollen Ton, den ich in meiner Malerei suche.«

8 Stilleben mit drei Hündchen

1888
Öl auf Leinwand, 91,8 × 62,6 cm
Museum of Modern Art, New York
(Stiftung Mrs. Simon Guggenheim)

»In diesem Jahr«, schrieb Gauguin, als er an dem Bilde arbeitete, »habe ich dem Stil alles unterworfen, Ausführung und Farbe, aus dem Wunsch, mich zu etwas anderem zu zwingen als zu dem, was ich schon kannte.« Dieses Bild hat in der Tat sehr auffallende Farben. Sie entsprechen dem originellen Thema und sind in mancher Hinsicht ihrer Zeit so weit voraus, daß man sich vorstellen kann, welche künstlerischen Vorurteile Gauguin überwinden mußte, um zu seinem neuen Stil zu gelangen. Die Perspektive mußte aufgegeben werden: Horizontales und Vertikales verschmelzen miteinander oder werden – richtiger – in der kraftvollen Komposition außer acht gelassen; die Größe der Gegenstände steht in keinem Verhältnis zur Wirklichkeit. Auch die Farbe ist willkürlich und wie bei den Gläsern entweder in großen, einheitlichen Flächen oder wie bei den Früchten in breiten, kühnen Strichen aufgetragen. Die schweren Schatten gehören als dekoratives Element zu den Gegenständen, ohne diese zu modellieren. Vor allem sind die Konturen verstärkt und betont; sie pressen wie Rahmen jeden Gegenstand zusammen, so daß diese isoliert und die dazwischenliegenden Räume sehr groß erscheinen. Der Tisch bekommt so die Wirkung eines großen Platzes.

Die Sätze, die Gauguin gegen Ende des Jahres aus Arles schrieb, können auf dieses Bild angewandt werden: »Ich setze keine Schatten. Betrachten Sie die Japaner, die doch bewundernswürdig zeichnen, und Sie sehen das Leben im Freien und in der Sonne ohne Schatten. Ich möchte mich möglichst von dem zurückhalten, was die Illusion eines Gegenstandes vermittelt, und da die Schatten die Illusion der Sonne sind, neige ich dazu, sie wegzulassen ... Setzen Sie Schatten, wenn Sie es für angebracht halten, oder verzichten Sie darauf – es bleibt sich gleich.«

Damals sprach Gauguin viel von »Abstraktion«, ein Begriff, der seiner Zeit weit voraus war; er bestand auf der Freiheit von der Natur, die dem Künstler immer erlaubt ist. Das Bild überrascht durch seinen Humor ebenso wie durch die glänzende Raumaufteilung – vereinzelte kleine Gegenstände auf einer großen Fläche –, die Matisse vorwegzunehmen scheint.

Die Grundauffassung des Bildes darf man ohne Übertreibung als »Respekt vor der Bildfläche« bezeichnen – eine Redewendung der Kubisten und ihrer Nachfolger. Auch darin war Gauguin ein Vorläufer der Moderne.

9 Bauernhaus in Arles

1888
Öl auf Leinwand, 91 × 72 cm
The Indianapolis Museum of Art, Indianapolis

Gauguins Aufenthalt in Arles, der zwei Monate währte und am Weihnachtstage 1888 endete, stand unter dem Zeichen vieler seelischer Aufregungen. Trotzdem und ungeachtet seiner menschlichen Übereinstimmung mit van Gogh blieb dieser Abstecher in den Süden von geringem Einfluß auf die Entwicklung seiner Malerei. Denn während Gauguin selbst den Stil des Freundes vorübergehend beeinflußte (vgl. *L'Arlésienne,* S. 31), erschütterte dessen leidenschaftliche Natur zwar den Menschen Gauguin, war aber in seiner Kunst kaum spürbar.

Dort im Süden stand er der Sehweise Cézannes näher als der von van Gogh. Der kubistische Aufbau aus Horizontalen und Vertikalen, die sich überschneidenden Flächen von Mauern und Häusern, die orangefarbenen Ziegeldächer, die blauen Bäume und fernen Hügel in unserem Bild erinnern an Cézanne.

Nur die kühnen Pinselstriche im Vordergrund, die uns die Bewegung der malenden Hand des Künstlers nachempfinden lassen, die auffallende Technik kurzer nebeneinandergesetzter Farbstriche im Gras und Heuhaufen, ebenso wie die grellen, schärferen Farben sind der Beweis, daß Gauguin Seite an Seite mit van Gogh malte.

Dieses bedeutende, außergewöhnliche Bild läßt uns erkennen, daß der Maler, der unter allen Umständen menschlich und stilistisch unabhängig sein wollte, das, was er für seine Kunst brauchte, aus den Werken der Großen seiner Umgebung aufnahm, ohne sie zu kopieren.

10 Der Schinken

1889
Öl auf Leinwand, 50 × 58 cm
The Phillips Collection, Washington D.C.

Dieses kleine und schlichte Bild ist unmittelbarer in der Aussage als manches andere Gemälde des Künstlers. Wir erkennen eine sorgfältig durchdachte Komposition: Der Tisch ist so gestellt, daß er links vom Bildrand überschnitten wird; die Streifen der Tapete sind asymmetrisch angeordnet. Die Gegenstände auf dem Tisch aber – die große flache Schale mit dem Schinken, die Zwiebeln und das Weinglas – scheinen zufällig dazuliegen und mit einem Blick erfaßt und gemalt worden zu sein.

Am eigenartigsten ist die Verbindung von Raum und Fläche. Die Tischplatte mit dem Stilleben wird von oben und perspektivisch verkürzt gezeigt, während die Wand dahinter streng frontal gesehen ist und dementsprechend senkrecht erscheint. Sie schneidet die Sicht ab, und die kräftigen senkrechten Streifen, dem Auge nahe gerückt, widersprechen der Raumvorstellung, die von dem Stilleben im Vordergrund geweckt wird. Wenn sich dadurch auch der Eindruck wirklicher Raumtiefe verliert, so bleibt doch die Vorstellung eines irrealen Raumes vorhanden. Die roten Punkte auf der Tapete scheinen sich von dem gelben Grund zu lösen, an den sie in Wirklichkeit gebunden sind; die Wand ist durch ihre Farben und deren Kontraste in einen leuchtenden, nicht greifbaren Raum verwandelt. Auf diese Weise hat Gauguin ohne jeden kubistischen Kunstgriff ein Bild geschaffen, das die Absichten der Kubisten vorwegnimmt, indem es die Festigkeit der Dingwelt auflöst und sich zwischen Wirklichem und Überwirklichem bewegt.

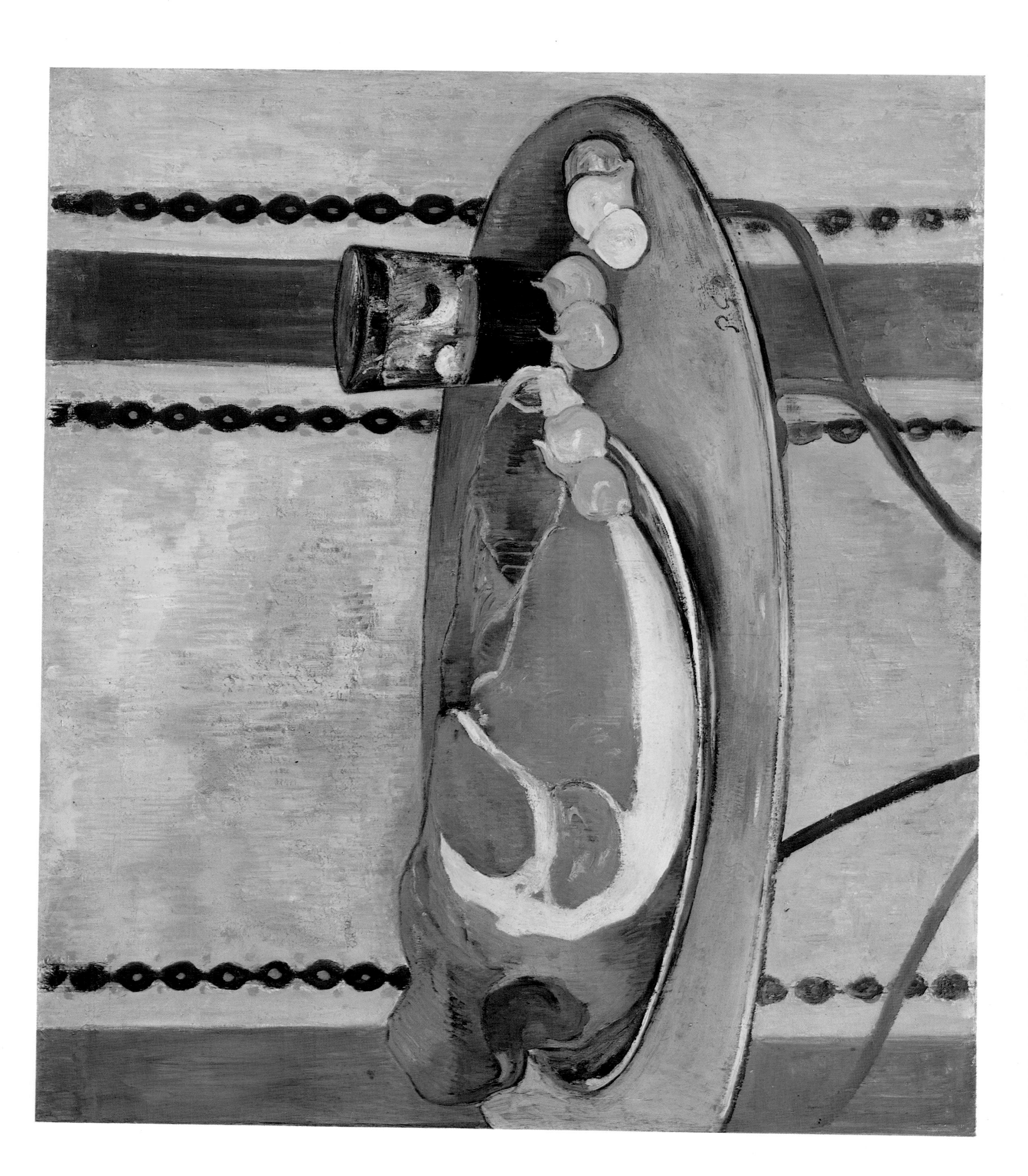

11 Der gelbe Christus

1889
Öl auf Leinwand, 92 × 73 cm
Albright-Knox Art Gallery,
General Purchase Funds 1946, Buffalo, New York

In vieler Hinsicht, in seiner flächigen Malweise, seinen intensiven Farben und kräftigen Konturen, ist der *Gelbe Christus* ein Höhepunkt des frühen synthetistischen Stils von Gauguin. Die Bildfläche, die dem Künstler wichtig ist, wird durch die Figuren im Vordergrund, die Senkrechte des Gekreuzigten und den abschließenden Querbalken erreicht. Gegen die übereinanderliegenden Streifen der Felder, des Himmels und des waagerechten Kreuzbalkens bilden die rhythmischen Kurven der Frauen und Bäume einen auflockernden Kontrapunkt. Das alles ist zu einer leuchtenden, sehr vereinfachten Darstellung zusammengefaßt. Die Farben sind heiter, doch enthalten sie auch das Herbe der bretonischen Landschaft; bei aller Anmut lassen die Frauen eine bäuerliche Kraft erkennen.

Noch heute ist dieses Bild erregend. Wie muß es erst damals gewirkt haben, als die zartere, in viele einzelne Striche aufgelöste Malerei des Impressionismus noch als revolutionär galt. Die großen Farbflächen, die groben, vereinfachenden Umrisse der Figuren sind genau das Gegenteil der impressionistischen Auffassung. Dennoch hat Gauguin sehr sorgfältig beobachtet. Die Kostüme entsprechen dem Leben, das Licht ist so kalt wie das der Bretagne, und auch die farbigen Harmonien von Gelb, Rostrot und Grün finden wir dort. Der Gekreuzigte hat ein Kruzifix in der Kirche von Tremalo bei Pont-Aven zum Vorbild.

Der Künstler stieß aber über die naturalistische Betrachtungsweise zur Expression vor.

»Die Impressionisten«, schrieb er später, »haben an der Farbe Interesse, sind aber durch den Wunsch nach Naturtreue gehemmt und nehmen sich keine Freiheit. Die ideale Landschaft, die auf der Wiedergabe des Wesentlichen beruht, gibt es für sie nicht. Sie gehen nur von ihrem Auge aus, nicht von den mystischen Tiefen des Denkens; deshalb verfallen sie verstandesmäßigen Überlegungen.«

Seiner Idee sichtbaren Ausdruck zu geben, ist das Ziel Gauguins. Wenn er den Aufbau seines Bildes vereinfacht, den Raum in die Fläche zwingt und Konturen und Farben verstärkt, so geschieht es, weil er nicht eine objektive Schilderung durch einen neutralen Beobachter geben will, sondern das sichtbare Symbol eines starken und schlichten Glaubens. »Auch die Tränen eines unwissenden Kindes bedeuten etwas«, schrieb er damals aus der Bretagne.

P Gauguin 89

12 Bildnis Marie Derrien Lagadu

1890
Öl auf Leinwand, 65 × 55 cm
The Art Institute, Chicago
(Sammlung Joseph Winterbotham)

Gauguin war wie seine jüngeren und älteren Freunde unter den Avantgardisten ein Bewunderer von Cézanne. Durch Pissarro, der sie zu verschiedenen Zeiten gelegentlich künstlerisch beraten hatte, lernten sie sich im Sommer 1881 kennen. Es ist nicht überraschend, daß zwei so stolze und mißtrauische Naturen sich menschlich nicht näherkamen. Doch hatte Gauguin früher einige Bilder von Cézanne gekauft. Als die Not ihn zwang, seine Sammlung zu verkaufen, wollte er sich auf keinen Fall von dem Stilleben Cézannes, das im Hintergrund dieses Bildes sichtbar wird, trennen. »Ich hänge an ihm wie an meinem Augapfel«, schrieb er an Schuffenecker, der es kaufen wollte, um ihm zu helfen, »und im äußersten Notfall würde ich lieber mein letztes Hemd hergeben.« In ihrer Kunst schlugen sie verschiedene Wege ein, obwohl sie beide als Impressionisten begannen; Gauguin achtete aus Überzeugung die Art des Mannes aus Aix, mit der dieser sich zu seinem Stil durchrang.

In diesem Bild spürt man die Verwandtschaft mit Cézanne. Man erkennt sie an der diagonalen Anordnung der Sitzenden, in der Ausdruckslosigkeit des Gesichts und in der Beziehung der Figur zu dem Stilleben im Hintergrund. Das Körperhafte und die Verdichtung der Gestalt, wie sie bei Gauguin ungewöhnlich sind, erreicht er durch eine starke Modellierung mit farbigen Schatten, die besonders auf der Hand und am Kopf in Erscheinung tritt. Der formale Rhythmus entspricht dem von Cézanne; der Umriß der Gestalt wird bei diesem aus dunkleren Flächen heraus entwickelt und ist anders als die Formen mit den fortlaufenden, welligen Konturen, die Gauguin sonst verwendet. Auch die wärmeren und volleren Farbklänge sind ungewöhnlich. Alle diese Elemente verraten den Einfluß von Cézanne. Dieser schätzte die Kunst Gauguins nicht; er tadelte den Mangel an Modellierung und Farbabstufungen und nannte Gauguin keinen Maler, sondern einen Hersteller »chinesischer Bilder«, das heißt flacher Figuren ohne Körperlichkeit.

13 Die Heumieten

1890
Öl auf Leinwand, 74,5 × 92,5 cm
Sammlung Gouverneur Averell Harriman, Arden, New York

Das Bild entstand nur wenige Monate, bevor Monet seine berühmte Serie der *Heumieten* begann, und trägt alle Merkmale von Gauguins neuem, eigenem Stil. Der Synthetismus der beiden vorangegangenen Jahre, damals das beherrschende programmatische Kompositionsprinzip, ist nun ganz verarbeitet und tritt zurück; er erscheint in reiner Form nur noch da, wo er notwendig ist, zum Beispiel in der unteren rechten Ecke.

Die Kompositionselemente sind von schöner Ausgewogenheit: dekorative Anordnung und Raumtiefe; geschwungene Formen und gerade Linien; Konturen und allmähliche Farbübergänge. Die gerundeten roten Formen im Vordergrund mit den kräftigen, geschlossenen Umrissen stehen im Gegensatz zu den lebhaften Farbtupfen des blühenden Feldes dahinter, und dieses wiederum bildet zu den Furchenstreifen des Ackerstückes daneben einen Kontrast. Erst nach längerer Betrachtung bemerkt man in der Verschiedenartigkeit des Vordergrundes das Einheitliche, dieselbe abstrahierende Tendenz bei wechselnder Malweise, die im Gegensatz zu der konventionellen Behandlung des Hintergrundes steht.

Die Figur der Bäuerin hat zwei Aufgaben: Sie ist der Maßstab, an dem sich die Größenverhältnisse des Bildes, vor allem Breite und Tiefe der hinteren Felder ablesen lassen, und symbolisiert zugleich die innige Verbindung des Bauern mit seinem Boden, des Bauern, der die rhythmische Aufteilung des Landes schuf, die der Maler vor uns enthüllt.

14 Ia orana Maria (Gegrüßest seist Du, Maria)

1891
Öl auf Leinwand, 113,7 × 87,7 cm
The Metropolitan Museum of Art, New York
(Nachlaß Samuel A. Lewisohn)

Wie schon in der Bretagne malte Gauguin auch in der Südsee Bilder religiösen Inhalts, obwohl er alles andere als fromm im herkömmlichen Sinne und viel eher ein Mystiker war, der, ähnlich wie Rousseau, an das Gute im Menschen glaubte, solange dieser nicht durch den Einfluß der Gesellschaft verdorben war. Er gehörte also in die lange Reihe von Künstlern und Schriftstellern, die dem universalen Wert, der allen Religionen gemeinsam ist, mehr Bedeutung zumessen als den Dogmen einer einzelnen. Diese geistige Haltung führte Gauguin zum Primitiven zurück und ließ ihn kurz nach seiner Ankunft auf Tahiti das Bild *Ia orana Maria* malen, eine »Anbetung«, wie sie nach seiner Vorstellung dem Wesen der Eingeborenen entsprach. Früher hatte er in entsprechender Weise die religiöse Gedankenwelt der bretonischen Bauern verbildlicht.

Gauguin beschreibt das Bild in einem Brief vom März 1892: »Ein Engel mit gelben Flügeln weist zwei Tahitianerinnen auf Maria und Jesus, Eingeborene wie sie, nackte Gestalten, nur mit dem Pareo bekleidet, einem geblümten Baumwollstoff, den man nach Belieben um den Leib schlingen kann. Im Hintergrund sehr dunkle Berge und blühende Bäume. Ein violetter Weg und ein smaragdgrüner Vordergrund; links einige Bananen. Ich bin ziemlich zufrieden damit.«

Mit dieser nüchternen Aufzählung einzelner Teile sind die Eigenart des Bildes und seine Absicht nicht beschrieben. Das Wesentliche an diesem Gemälde sind das leuchtende Kolorit der Hauptpersonen, durch das sie aus ihrer Umgebung herausgehoben, nicht aber von ihr gelöst werden, und das Gleichgewicht zwischen den aufeinanderfolgenden Vertikalen von Menschen und Bäumen und den zurücktretenden waagerechten Streifen des Erdbodens. Es ist eine der geheimnisvollsten und zugleich eine der monumentalsten Schöpfungen Gauguins.

Das Gemälde ist ebenso harmonisch und einleuchtend wie manche Werke Raffaels. Man braucht einige Zeit, um zu erkennen, wie geschlossen die Komposition angelegt ist, und daß die Vielfältigkeit der Details dem Gesamtbild keinen Abbruch tut.

Zu der Szenerie aus Tahiti, dem Glauben der Eingeborenen und der westlichen Ikonographie gesellt sich mit dem Motiv der Seite an Seite stehenden, anbetenden Frauen mit den flächigen Körpern, der frontalen und zugleich perspektivischen Ansicht, ein Element aus der Kunst des Ostens hinzu. Gauguin entnahm es einem Skulpturenfries des javanesischen Tempels von Borobudur, von dem er 1889 während der Weltausstellung in Paris Fotografien gekauft hatte.

IA ORANA MARIA

15 Frau in rotem Kleid

1891
Öl auf Leinwand, 97 × 73 cm
The Nelson-Atkins Museum of Art, Nelson Fund, Kansas City

Über die Welt der Südsee, wie Gauguin sie darstellte, breitet sich immer ein Schleier von Melancholie. Mag er auch in seinen Briefen und Tagebüchern von den Freuden eines Lebens unter Wilden sprechen – von der Zivilisation, unter der man leidet, im Gegensatz zu der Barbarei, die für ihn eine Verjüngung bedeutet –, gemalt hat er diese Freuden nie.

Hat er die melancholische Stimmung, die so oft aus seinen Bildern spricht, wirklich beobachtet? Fand er sie tatsächlich bei den Menschen in Tahiti, deren Natürlichkeit und Schlichtheit er viel höher schätzte als das heuchlerische Gebaren der europäischen Kolonisten? Oder übertrug er die Bitterkeit eigener Gefühle auf seine Bilder? Jedenfalls findet man diese Stimmung immer wieder: in den Gebärden, die ebensooft gespannt wie schlaff sind; im Gesichtsausdruck, der viel öfter ernst ist als heiter; in den Farben, deren Reichtum durch Mangel an klarem Licht und Kontrast einen gedämpften, abendlichen Glanz bekommt.

Diese Frau in ihrem schweren Gewand, in Gedanken verloren, die ihr alle Energie zu nehmen scheinen, ist alles andere als eine echte Wilde.

Baudelaire, der wie Gauguin das Primitive liebte und in seinen ästhetischen Theorien ein unmittelbarer Vorgänger von ihm war, hätte sich zu ihr bekannt: Sie scheint wie der Dichter selbst an der Krankheit zu leiden, die für die Zivilisation am typischsten ist, an der Langeweile.

16 Stilleben mit Blumen

1891
Öl auf Leinwand, 95 × 62 cm
Privatbesitz, Frankreich

Gauguins Theorien waren wie die vieler Künstler in ihren Grundzügen logisch, weil er sich als Künstler treu blieb, doch widerspruchsvoll in den Einzelheiten, weil er zu verschiedenen Zeiten von der Malerei verschiedene Vorstellungen hatte.

Er schrieb: »Die Impressionisten haben ausschließlich an der Farbe Interesse, sind aber ohne Freiheit und immer gehemmt durch das Verlangen nach Naturtreue.«

Aber er schrieb auch: »Was gibt es Schöneres für einen Künstler, als in einem Strauß Rosen die Färbung jeder einzelnen Blüte sichtbar zu machen? Wenn sich zwei Blumen auch ähnlich sind, können sie jemals, Blatt für Blatt, gleich sein?... Warum die Dinge ohne Grund verschönen? Der echte Duft jedes Wesens, jeder Blume, jedes Menschen oder Baumes verschwindet dadurch. Das heißt nicht, daß sie die anmutigen Themen vermeiden sollen; doch es ist besser, sie so darzustellen, wie man sie sieht, als ihre Farbe und Zeichnung einer theoretisch im Gehirn vorbereiteten Form zu opfern.«

Derartige Widersprüche finden wir auch bei Odilon Redon, dem es wie Gauguin mehr darauf ankam, etwas Geistiges auszudrücken, als die Natur zu beschreiben (er sagte von den Impressionisten, daß ihr Horizont zu beschränkt sei), und der doch brillante Blumenstilleben mit liebevoller Sorgfalt bis ins kleinste Detail genau malte. Gauguin erklärte, daß er die Erinnerung an alle Bilder Redons nach Tahiti mitnähme; ihre Verwandtschaft zeigt das abgebildete Blumenstilleben. Denn obwohl es wie alle Bilder von Gauguin großzügig angelegt ist und der untere Teil noch die alten dunkleren Töne aufweist, haben die Blumen selbst die Leuchtkraft und den Kontrast – besonders im Gegensatz von Rot und Blau – der allerdings zarteren Darstellungen Redons. Die Vase, eine vom Künstler angefertigte Keramik, ist mit einem Motiv geschmückt, das wir in verschiedenen Holzschnitten und Gemälden wiederfinden. Die Maske im Hintergrund gibt dem Bild etwas exotisch Geheimnisvolles. Beherrschend sind die strahlenden, fast grellen Farben, die in Gauguins Arbeiten von Tahiti selten sind.

17 Berge auf Tahiti

1893
Öl auf Leinwand, 68 × 92,5 cm
The Minneapolis Institute of Arts, Minneapolis

»Sie fragen mich, was ich Neues arbeite«, schrieb Gauguin im November dieses Jahres, fünf Monate nach seiner Ankunft in Tahiti. »Es ist schwer zu sagen, denn ich weiß selber nicht, ob es etwas taugt. Manchmal halte ich es für gut, und dann finde ich es entsetzlich ... Ich bin zufrieden, in mir selbst zu suchen und nicht in der Natur, um ein bißchen zeichnen zu lernen ... «

Natürlich war Gauguin von seiner neuen Umgebung tief beeindruckt und nahm sie in sich auf. Vor allem die ungewohnte Stille vermittelte ihm ein Gefühl von Ewigkeit. Alles war hier so ganz verschieden von der Geschäftigkeit, dem täglichen Kampf und den Anspannungen des europäischen Lebens. »Ich fühle, wie mich das alles durchdringt, und ich ruhe mich in diesem Augenblick ungewöhnlich aus.«

Etwas von dem neu gefundenen Frieden ist in dieses Bild eingedrungen. Es ist großzügig und sparsam angelegt. Die Größenverhältnisse lassen sich an der einzelnen kleinen Figur im Vordergrund ablesen. Ein außergewöhnlicher Sinn für die Stimmung und Eigenart der Beleuchtung ist spürbar. Es ist eine harmonische Landschaftsdarstellung, die nichts Geheimnisvolles enthält.

Eigenartigerweise erinnert die Bergspitze an den Mont St. Victoire von Cézanne. Das ist sicher ein Zufall. Die Farbharmonien, die Wiederholung geschwungener Linien, die großflächige Anlage sind typisch für Gauguin. Hier befindet er sich mit dem Schauspiel der Natur in Einklang. Durch einfache Formen gelingt es ihm, Erscheinung und Besonderheit der Landschaft wiederzugeben.

18 Frauen am Strand

1891
Öl auf Leinwand, 69 × 91 cm
Musée d'Orsay, Paris

Mit dem Problem, Körper und Fläche miteinander in Einklang zu bringen, haben sich die Nachimpressionisten immer wieder auseinandergesetzt. Seurat löste es mit Hilfe des Pointillismus, Cézanne durch Farbmodellierung. Gauguin, der zu diesem Zweck seine Kompositionen häufig friesartig aufbaut, hat hier die Einheit von Körperlichkeit und Fläche durch andere Mittel erreicht. Die Gestalten werden von oben gesehen, dadurch werden sie verkürzt und der Hintergrund nach vorne gerückt, so daß der Himmel verschwindet. Die Figuren selbst, dem Betrachter nahe, bestehen aus Kurven und Rundungen, die mit den strengen, einfachen Linien des Strandes im Hintergrund kontrastieren. Sie füllen die Leinwand und vermitteln zugleich den Eindruck von Flächigkeit wie den der Tiefe. Deren Verbindung wird besonders bei der linken Frau deutlich. Profil und Arm bilden eine senkrechte Linie, das ausgestreckte Bein und der Rock eine Waagerechte; beide weisen gleichzeitig als Diagonalen in die Tiefe, wobei der Fuß ein Gegengewicht zu der Hand in der unteren Bildecke bildet. Farbflächen, die durch kräftige Konturen zusammengehalten werden und durch Überschneidungen abstrakte Figuren bilden, betonen durch ihre Modellierung die plumpen Körper.

19 Der Markt (Ta matete)

1892
Öl auf Leinwand, 73 × 92 cm
Kunstmuseum Basel

Es ist eine Eigenart von Gauguin, daß er in seiner Kunst vollkommen selbständige Schöpfungen hervorbringt, obwohl die Quellen seiner Inspiration klar erkennbar sind. In diesem Bild hat er zweifellos auf Ägyptisches zurückgegriffen: Die Aufreihung der sich kaum überschneidenden sitzenden Figuren, das Nebeneinander frontaler und seitlicher Ansicht, die steifen Gesten, die langen Gewänder, die sprechenden Hände und die Stilisierung der Gestalten erinnern an die Flachreliefs der Niltempel. »Die Linie ist ein Mittel, eine Idee zu betonen«, sagte Gauguin. Die Klarheit der ägyptischen Maltechnik, der rhythmische Wechsel von Gestalten und Raum, die Harmonie der Proportionen, welche das »Geheimnisvolle«, das er so liebte, und eine Anmut ohne Weichheit zuließ, all das sprach das Stilempfinden Gauguins stark an.

»Haben Sie immer die Perser, die Kambodschaner und ein klein wenig die Ägypter vor Augen.« Obgleich dieser vielleicht berühmteste Satz seiner kritischen Äußerungen erst etwas später im Hinblick auf Vollplastiken geschrieben wurde, paßt er ausgezeichnet auch auf dieses Gemälde, denn zu den scharfgeschnittenen ägyptischen Konturen und Körperhaltungen ist die flächige Farbe persischer Drucke ebenso hinzugetreten wie aus indonesischen Flachreliefs die Betonung der senkrechten Zwischenräume.

Sicher hat Gauguin in Tahiti niemals eine so hieratische, feierliche und streng geordnete Figurenreihe gesehen; sie ist unbeweglich, und doch weckt der Rhythmus ihrer Komposition den Eindruck von Bewegung.

Die Vielseitigkeit seines Stils ermöglichte es dem Maler, die alltägliche Wirklichkeit zu verwandeln; auf diese Weise konnte er dem Empfinden des Primitiven Ausdruck geben, das für ihn bedeutete: einfach, erhaben und voller Wunder.

TA MATETE

20 Plauderei (Parau-parau)

1892
Öl auf Leinwand, 76 × 96,5 cm
Sammlung Mr. und Mrs. John Hay Whitney, New York

In diesem Bild finden wir den gobelinhaften Charakter der fünf Jahre früher entstandenen prächtigen Landschaften aus Martinique (Farbt. 4) wieder. Die Farben sind gedämpft, die Konturen treten zurück; ein mildes Licht, das über allem liegt, zaubert eine Stimmung hervor, die an die venezianische Landschaftsmalerei erinnert und die Formen körperlicher macht, ohne die Klarheit der Zeichnung zu verwischen. Hier findet sich im Überfluß jene »Materie«, der sich Gauguin so bewußt war und die wir zuwenig mit seiner Kunst in Verbindung bringen. Welche Empfindungen er hervorrufen wollte, sagt er uns selbst in einer seiner zahlreichen Aufzeichnungen über seine Malerei:

»Zur Erklärung meiner Kunst aus Tahiti, da sie als unverständlich bezeichnet wird:

Weil ich den Eindruck einer wilden und üppigen Natur geben wollte, einer tropischen Sonne, die alles um sich herum überflutet, mußte ich für meine Figuren einen entsprechenden Rahmen haben. Es ist das Leben in der freien Natur, aber doch ein intimes Leben, im Dickicht des Waldes, an schattigen Bächen. Diese Frauen unterhalten sich flüsternd in einem riesigen Palast, den die Natur selbst mit allem Reichtum, den Tahiti zu vergeben hat, ausschmückte. Deshalb diese zauberhaften Farben, diese flammende und zugleich weiche und stille Atmosphäre.«

»Aber all das existiert nicht!«

»Doch, es existiert als Äquivalent zu der Größe, der Tiefe und zu dem Geheimnis Tahitis, das auf einer quadratmetergroßen Leinwand ausgedrückt werden soll. Die tahitische Eva ist schlau, sehr wissend in ihrer Naivität. Das Rätselhafte in ihren kindlichen Augen kann ich nicht wiedergeben. Sie ist die Eva nach dem Sündenfall, die ohne Scham noch nackt vor unsere Augen treten kann und die ganze Ursprünglichkeit ihrer animalischen Schönheit behalten hat... Nur ihr Gesicht hat eine Entwicklung durchgemacht, ihr Denken wurde scharfsinnig, die Liebe prägte ein spöttisches Lächeln auf ihre Lippen, und naiv sucht sie in ihrer Erinnerung nach dem Warum der Gegenwart. Rätselhaft blickt sie dich an.«

21 Der Geist der Toten wacht (Manao tupapau)

1892
Öl auf Leinwand, 73 × 92 cm
Albright-Knox Art Gallery, Buffalo, New York

Gauguins »Symbolismus«, seine Vorliebe für das Geheimnisvolle werden nirgends deutlicher als in diesem Bild.

Die Beziehungen zur *Olympia* von Manet, die er früher einmal kopiert hatte, sind offensichtlich, doch wollte Gauguin im Gegensatz zu dem älteren Meister mehr geben als nur einen schön gemalten weiblichen Akt. Er selbst hat uns über seine Absichten berichtet; in seinen Briefen und Tagebüchern schreibt er ausführlich von diesem Bild als einem charakteristischen Beispiel der Methoden und Ziele seiner Kunst.

»Ein junges Kanakenmädchen liegt auf dem Bauch und zeigt einen Teil seines erschrockenen Gesichtes. Es ruht auf einem Bett, das mit einem blauen Pareo und einem hellen, chromgelben Laken bedeckt ist. Verleitet durch eine Form, eine Bewegung, male ich diese mit dem einzigen Wunsch, etwas Nacktes darzustellen. So entsteht eine etwas unanständige Aktstudie, aber ich beabsichtige ein keusches Bild, etwas von kanakischem Geist, seiner Eigenart und seiner Tradition wiederzugeben ...«

»Da der Pareo zum Leben eines Kanaken gehört, verwende ich ihn als Bettdecke. Das Laken aus einem Gewebe von Baumrinde muß gelb sein, weil diese Farbe für den Betrachter etwas Überraschendes hat, sie erweckt den Eindruck von Lampenlicht ... ich brauche einen Hintergrund, der ein wenig unheimlich wirkt. Dafür ist violett geeignet. Das ist der musikalische Teil des Bildaufbaus ...«

»Ich sehe nur die Angst. Was für eine Angst? Sicherlich nicht die der Susanna, die von den Alten überrascht wird. Die gibt es in Ozeanien nicht. Der Tupapau, der Geist der Verstorbenen, ist da. Die Eingeborenen leben in beständiger Furcht vor ihm ... Nachdem ich den Tupapau entdeckt habe, fesselt er mich ganz, und ich mache ihn zum Motiv meines Bildes. Der Akt nimmt erst den zweiten Platz ein ...« »Der Titel Manao tupapau hat zwei Bedeutungen: Entweder sie denkt an den Geist, oder der Geist denkt an sie!

Zusammenfassend: der musikalische Teil: wellige, waagerechte Linien, Einklang von Orange und Blau, verbunden mit Gelb und Purpur (die aus ihnen abgeleitet sind), aufgehellt durch grünliche Lichter. Der literarische Teil: die Seele einer Lebenden verbunden mit dem Geist der Toten. Die Nacht und der Tag.«

Wenn wir für ›musikalisch‹ ›abstrakt‹ setzen, können wir vielleicht verstehen, wie Gauguin, von einem Gefühl geleitet, das er nicht ganz begriff, zu einer Bildidee kam und dann versuchte, dieses Gefühl in rein optische – und nicht literarische – Begriffe zu übersetzen.

»Diese Entstehungsgeschichte ist für die geschrieben, die immer das Warum und Wozu wissen müssen. Im übrigen ist es eine einfache Studie eines Aktes aus der Südsee.«

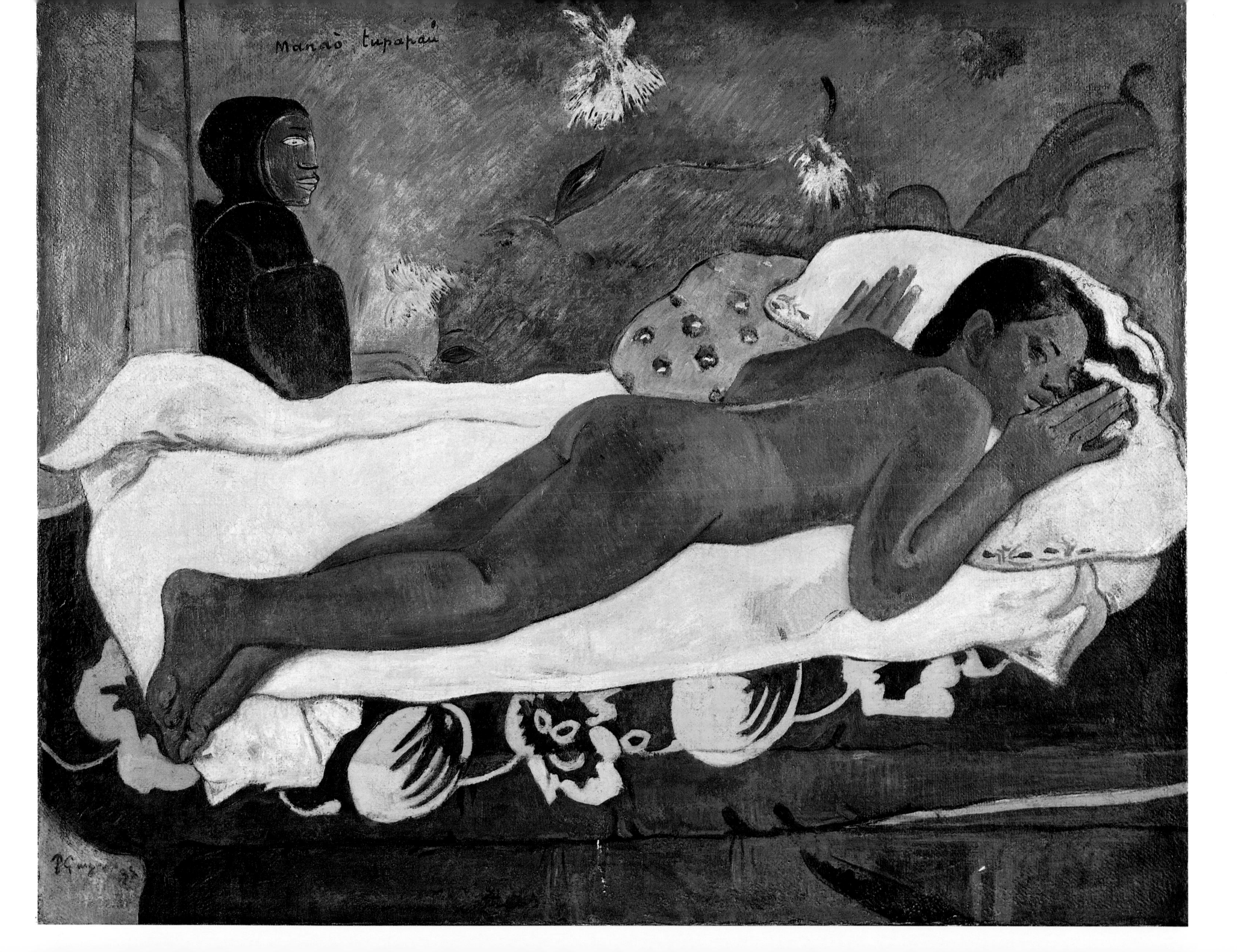
Manaò tupapaù

22 Am Meer (Fatata te miti)

1892
Öl auf Leinwand, 68 × 91,5 cm
National Gallery of Art, Washington D.C.
(Sammlung Chester Dale)

Während des ersten Aufenthaltes in Tahiti wurde Gauguins Stil gelöster. Allein mit sich selbst, nicht mehr der von Schülern umgebene Meister, der sich schnell seiner revolutionären Rolle bewußt wurde, erlaubte es seine Empfindlichkeit, in dem programmatischen Eifer nachzulassen. Doch vergaß er die synthetische Richtung seiner bretonischen Bilder keineswegs.

Nach der Vollendung dieses Bildes im August schrieb er an Daniel de Monfreid: »Ich sehe, daß Sie Ihr Brot als Künstler verdienen können; ich gratuliere Ihnen dazu, es kann für Sie nur gut sein, da es Sie zum Dekorieren zwingt. Aber mißtrauen Sie dem Modellieren. Das einfache Glasfenster, welches das Auge durch seine Farb- und Formteile anzieht, ist noch immer etwas vom Besten. Eine Art Musik. Seltsam, daß ich meiner Veranlagung nach zum Kunsthandwerk neige und doch nicht dahin gelangen kann. Sei es die Glasmalerei, seien es Möbel, Fayencen oder ähnliches, das sind im Grunde meine Fähigkeiten viel mehr als die eigentliche Malerei.«

Gauguin meinte dies nicht ganz ernst – verständlicherweise beneidete er andere, die sich so ihr Geld verdienen konnten –, doch ein Bild wie das Nebenstehende zeigt, daß diese Selbsteinschätzung eine Seite seines Talentes kennzeichnet: Flächige Farben, abstrahierte Formen, schwingende, ungebrochene Kurven machen dieses Bild sehr dekorativ.

Die Formen der Natur sind durch Stilisierung fast unmerklich in frei erfundene übergeleitet, werden zu einem dekorativen Muster aus fließenden Linien und farbigen Flecken, die das Bild füllen und ihm seine Bewegtheit verleihen. Dennoch treten die Figuren kräftig und klar hervor. Diese Bewegung ist die »Musik« des Bildes, zugleich symbolisch und abstrakt; das Thema wird allein durch die Form deutlich. So wirkt die Szene, ungeachtet aller künstlerischen Freiheit, natürlich; trotz aller Flächigkeit vermittelt sie räumliche Tiefe und trotz aller Bewegung den Eindruck von Ruhe und Gelassenheit.

Fatata te Miti
P. Gauguin 92

23 Dort ist der Tempel (Parahi te marae)

1892
Öl auf Leinwand, 68 × 91 cm
The Philadelphia Museum of Art, Philadelphia
(Geschenk Mrs. Rodolphe Meyer de Schauensee)

»Mein künstlerisches Zentrum liegt in meinem Gehirn«, schrieb Gauguin im Entstehungsjahr dieses Bildes aus Tahiti an seine Frau. Jahre später bestand er immer noch darauf: »Ich bin kein Maler nach der Natur. Alles vollzieht sich bei mir in meiner tollen Phantasie.« Kein anderes Bild bestätigt das besser als diese eigenartige Komposition. Sie leitet sich aus den Sagen der Maori, wie er sie verstand, aus seinen Vorstellungen von primitiver Religion und des Totenkultes ab; sie enthält dekorative Elemente aus dem Osten und die starke Wirkung, die von der üppigen Landschaft Tahitis ausging. Warum steht in dieser wilden Gegend ein dunkler Zaun mit primitiven Schädeln und kunstvollen Verzierungen asiatischer Herkunft, warum das Idol auf dem Berghang? Diese Motive sah man noch nie zusammen. Hier sollen sie einen heiligen Bezirk schaffen, einen Olymp, der, in Licht getaucht, sich über der Welt der Menschen erhebt. Der unheimliche Zaun trennt uns von einem Bereich, in dem wir Sterblichen nicht zugelassen sind; die leuchtenden Blumen davor erinnern uns jedoch an die uns zugängliche, lebensvolle und farbenfreudige Welt.

Der Maler verwendete flächige und plastische Formen, dunkle gebrochene und helle reine Töne, Kontur und Modellierung. Er schuf ein Werk, das sich im Technischen wie im Inhaltlichen zu widersprechen scheint, aber durch die Kraft der Idee einen inneren Zusammenhang hat, ein Werk, in dem er seine Philosophie durch Abstraktion ausdrückt.

PARAHI TE MARAE

24 Stilleben mit tropischen Früchten

1892
Öl auf Leinwand, 61 × 73 cm
Nationalgalerie, Oslo

Wenn Gauguin in Tahiti Stilleben malte, geschah es, um sich von den Anstrengungen größerer Werke zu erholen. »Wenn ich müde bin, figürliche Bilder zu malen (meine Vorliebe), fange ich ein Stilleben an und führe es ohne Modell zu Ende«, schrieb er 1900 an Emmanuel Bibesco. Selbst beim Malen von Früchten und Blumen fühlte er sich nicht an die natürlichen Erscheinungsformen gebunden, an die »Zufälle«, wie er es in seinen ersten theoretischen Betrachtungen genannt hätte; doch ging seine Phantasie dabei in eine andere Richtung. Bei so einfachen Themen konnte er sich auf die musikalische Seite seiner Kunst konzentrieren, ohne sich darum bemühen zu müssen, Eigentümlichkeit und Bedeutung des Themas durch eine abstrahierte Form auszudrücken.

In diesem Stilleben greift er auf die Körperhaftigkeit von Cézanne zurück, modelliert die Früchte mit der Farbe und schafft Raumtiefe durch die Intervalle der Gegenstände auf dem Tisch. Die Harmonie der Farbtöne verleiht der dicht zusammengedrängten Gruppe Gewicht. Wie bei Cézanne verläuft die hintere Kante des Tisches, die auf beiden Seiten sichtbar wird, nicht in einer Linie, weil rechts mehr Tiefe benötigt wird. Aber es ist besonders im Hinblick auf die gegensätzlichen Charaktere der beiden Künstler interessant, daß Cézannes Tonstufen und klare Farben häufig Empfindungen von Zuversicht und sogar von Heiterkeit auslösen, während Gauguins dunklere, weniger gegensätzliche Farbklänge eine düstere und stärker ichbezogene Atmosphäre schaffen.

25 Der Mond und die Erde (Hina tefatou)

1893
Öl auf Leinwand, 114,3 × 62,6 cm
Museum of Modern Art, New York
(Sammlung Lillie P. Bliss)

Gauguin liebte das Geheimnisvolle, und daher war es nur natürlich, wenn er sich in Tahiti legendären und mythologischen Themen zuwandte. Allegorische Darstellungen wie *Der Mond und die Erde* können nicht auf eine einzige Quelle zurückgeführt werden. Wir finden darin Erinnerungen an die europäische Malerei, an Erzählungen seiner Freunde in Tahiti und an die Lektüre von Sagen und Geschichten des Landes. Vor allem aber entsprangen sie seinem ursprünglichen Sinn für das Symbolische und Rätselhafte, das unter der Oberfläche der Wirklichkeit schlummert. Wie zuvor in der Bretagne versuchte er auch in Tahiti, dies mit den Augen der einfachen Menschen wiederzugeben und etwas von deren Wunderglauben, von ihren Gedanken über die unfaßbaren Geheimnisse des Weltalls einzufangen.

Das Thema wurde von einem Gespräch zwischen Hina, dem Mond, und Fatou, der Erde, angeregt, von dem die Sage berichtet, und das Gauguin in Anlehnung an Moerenhout in seinem Buch ›Ancien Culte Mahorie‹ beschreibt. Hina sagte zu Fatou: »Mache die Menschen nach ihrem Tode wieder lebendig.« Fatou antwortete: »Nein, ich werde sie nicht zum Leben erwecken. Die Erde wird sterben, die Vegetation wird sterben, also sollen auch die Menschen sterben, die von ihr leben ...« »Tu, wie du willst, aber ich werde dafür sorgen, daß der Mond wiedergeboren wird.«

Die Sage hilft wenig zum Verständnis von Gauguins Darstellung. Das Nebeneinander der großen plastischen Figuren und des flächigen, dekorativen Naturausschnitts mit seinen abstrakten, sich wiederholenden Formen mutet recht eigenartig an. Vielleicht wollte Gauguin damit zum Ausdruck bringen, daß die Sage, die aus der Phantasie kommt, ihm mehr Wirklichkeit vermittelte als die Naturbeobachtung. Im Gegensatz zu den üblichen Darstellungen allegorischen Inhalts stehen die symbolischen Figuren in keinem Größenverhältnis zu ihrer Umgebung; dadurch erscheinen uns diese Gottheiten in ihrer übermenschlichen Gestalt gewaltig und furchterregend. Dieses Bild wurde anläßlich der Gauguin-Ausstellung bei Durand-Ruel im November 1893 auf dem Umschlag des Ausstellungskatalogs abgebildet und damals von Degas gekauft.

26 Selbstbildnis mit Palette

1893
Öl auf Leinwand, 90,6 × 71,9 cm
Privatbesitz, Frankreich

Dieses Selbstbildnis malte Gauguin in der Rue Vercingétorix, als er in dem bretonischen Viertel von Paris hinter dem Bahnhof Montparnasse wohnte. Nach seiner Rückkehr aus der Südsee gab sich der Künstler betont exotisch und hängte zur allgemeinen Bestürzung in seinem Atelier einige Eingeborenenarbeiten auf, die er mitgebracht hatte.

Auf diesem Bild, das er wahrscheinlich nach einer Fotografie malte (wenn er nach einem Spiegelbild gemalt hätte, würde er den Pinsel in der Linken halten), trägt er das von seinem Freund Armand Seguin, einem der Künstler der Schule von Pont-Aven, beschriebene Kostüm:

»Mit dieser astrachanischen Mütze und in dem gewaltigen blauen Umhang, den wertvolle Metallspangen zusammenhalten, erschien er den Parisern wie ein prächtiger und gigantischer Magyar.« Das fremdländische Kostüm – man vergleiche Selbstbildnisse von Rembrandt – gibt dem Bild Würde und Ruhe. Seine Schlichtheit steht im Gegensatz zu den meisten anderen Selbstbildnissen, die entweder heftig und herausfordernd, ironisch oder traurig sind.

Das Bild ist Charles Morice gewidmet, dem es Gauguin auch schenkte. Noch in Tahiti hatte er Morice beschuldigt, ihm gehörendes Geld zurückzuhalten, aber im Oktober 1893 versöhnten sie sich wieder. Morice schrieb dann das Vorwort für die Ausstellung bei Durand-Ruel im November 1893, die auf Anregung von Degas stattfand. 1894 begannen Gauguin und Morice gemeinsam das Werk ›Noa-Noa‹.

27 Sonntag (Mahana no atua)

1894
Öl auf Leinwand, 66 × 87 cm
The Art Institute, Chicago

Wie *Der Mond und die Erde* (Farbt. 25) hat auch dieses Bild seinen thematischen Ursprung in der polynesischen Mythologie. Die zentrale Gestalt ist Taaroa, der höchste Gott der Maori, der Schöpfer der Erde, über welchen der Künstler in seinem Werk ›Ancien Culte Mahorie‹ schrieb. Ihm zu Ehren bringen links zwei Jungfrauen Geschenke dar, während rechts zwei Mädchen einen kultischen Tanz aufführen.

Die Quellen, aus denen Gauguin schöpfte, aber auch der Reichtum seiner Einfälle und seiner Gestaltungskraft sind klar erkennbar. Die Wiederholung der Profile bei den weißgekleideten Mädchen (vgl. auch *Ta matete*, Farbt. 19) kommt aus der ägyptischen Kunst, während die beiden Tänzerinnen aus dem Leben in Tahiti gegriffen und nur deshalb stilisiert wurden, damit sie dem Paar links entsprechen. Die thronende Gottheit schließlich leitete er aus den ihm bekannten Mythen ab. Die drei nackten Figuren im Vordergrund sollen vermutlich die Schöpfung symbolisieren; ihre passive Haltung, besonders die embryohafte Stellung der rechten Figur, ist der Allmacht des Gottes hinter ihnen gegenübergestellt.

Die Linien ihrer Körper und des Schmuckes der Gottheit wiederholen sich in den Formen des Vordergrundes. Im Wasser schwimmen amöbenhafte Gebilde, Klippen oder Schatten, jedenfalls einfache dekorative Ornamente, welche der Komposition ihre eigentümliche Stimmung und den Rhythmus verleihen. Die Formen werden in der Wolkenbildung im Hintergrund wieder aufgenommen. Wir erkennen die synthetistischen Vereinfachungen der bretonischen Bilder von 1888 und 1889. Jetzt führte Gauguin sie aber bis nahe an die reine Abstraktion heran. Diese Stilisierungen weisen in die Zukunft; sie erinnern nicht an Vergangenes, nicht mehr an die Glasmalerei, die Quelle des Cloisonnismus von Bernard, sondern an die organischen Abstraktionen der nachkubistischen Periode.

Gauguin 94
MAHANA no Atua.

28 Herrliche Tage (Nave nave mahana)

1896
Öl auf Leinwand, 94 × 130 cm
Musée des Beaux Arts, Lyon

Immer wieder schlägt in Gauguins Kunst die Neigung zum Dekorativen durch, von der auch dieses Bild Zeugnis gibt. Während manche seiner Bilder in ihrem Rhythmus und ihrer Gemessenheit an das Auf- und Niederwogen von Raum und Figur beim Relief erinnern, läßt sich dieses Gemälde mit seinen reicheren Farbklängen und Tonwerten mit einem Gobelin vergleichen.

Die großen Figuren, die fast den Rahmen berühren, die Bäume, die über ihn hinauswachsen, die horizontalen Bänder von Himmel und Erde geben jedem Teil der Komposition den gleichen Reichtum und das gleiche Gewicht.

Die großen Farbflächen der Körper und Gewänder, der Baumstämme und Blätter, der Erde und des lichten Himmels sind scharf begrenzt. Um sie tönend und greifbar zu machen, dämpfte Gauguin die Farben; sie sind atmosphärisch verschleiert oder erscheinen wie schwere Gewebe, decken alle Bildteile gleichmäßig und rücken sie in die Unwirklichkeit einer idealen, schweigenden Welt.

Die Anmut der Körper mildert die Wirkung der zahlreichen Vertikalen so weit, daß sie mit dem Rhythmus von Himmel und Hügel in Einklang stehen. In den sitzenden Figuren, die bewußt kleiner gehalten sind und dadurch die anderen Gestalten größer erscheinen lassen, wiederholen sich die kürzeren Linienschwingungen der Pflanze im Vordergrund und der Äste und Blätter im oberen Teil des Bildes.

Man hat die Idyllen von Puvis de Chavannes mit diesem Bild verglichen. »Puvis überwältigt mich mit seinem Talent«, schrieb Gauguin, und er kopierte dessen *Hoffnung* (vgl. Seite 35) und baute sie in eines seiner letzten Bilder ein. Sicher bestand bei beiden Künstlern die gleiche Sehnsucht nach einem einfachen Leben, aber die klassischen Landschaften von Puvis sind von der Höhe eines fernen Olymp gesehen, während Gauguin seine tropische Umgebung als etwas innig Vertrautes darstellt. Es gibt kein Geheimnis, keine Übertreibung des Exotischen und keine Ironie. Das ist einfach Anakreon im Gewand der Eingeborenen: die klassische Tradition auf die andere Seite der Welt übertragen.

NAVE NAVE MAHANA
P. Gauguin 1896

29 Mutterschaft

1899
Öl auf Leinwand, 94 × 72 cm
Staatliche Eremitage, Leningrad

Gauguin malte häufig Mütter mit ihren Kindern und andere Themen aus dem Familienleben. Trotz seiner scheinbaren Gleichgültigkeit und seines beharrlichen Willens, seiner Kunst vor allen anderen Dingen den Vorrang zu geben, wurde er seiner Einsamkeit nicht Herr.

Er hat seiner Frau nie verziehen, daß sie allein sich der Nähe der Kinder erfreuen durfte. Immer wenn er einen Lichtblick sah, träumte er von einem gemeinsamen Leben in glücklicher Übereinstimmung: »... mit weißen Locken werden wir eine Zeit des Friedens und seelischer Harmonie erleben, umgeben von unseren Kindern, Fleisch von unserem Fleisch« – ein Traum, der sich nie erfüllen sollte.

Wahrscheinlich wegen dieser schmerzlichen Enttäuschung zog ihn das häusliche Glück der Maori besonders an.

Dieses Bild ist keine Schilderung aus dem Alltag der Eingeborenen, denn es verzichtet auf realistische Einzelheiten und Schilderungen, um das Wesentliche, die Symbole der Zuneigung und der sorgenden Liebe, herauszustellen: die stillende Mutter, die hilfsbereiten Schwestern, die sie beschützen, die Frucht als Sinnbild des Überflusses, die Blume als Abbild der Schönheit. Irgendwo, inmitten eines tropischen Gartens von Arkadien leben diese Menschen; Genaueres verrät der Maler nicht.

Erde und Himmel, allein an den verschiedenen Farbabstufungen erkennbar, steigen in weichen, abgerundeten Formen hinter der Gruppe auf und spiegeln die fließenden Umrisse der Figuren. Die warmen, harmonischen Farben im Vordergrund deuten auf die Innigkeit und Zufriedenheit dieser Menschen, während die leuchtenden Farben des Himmels dem Ganzen eine heitere Note geben.

30 Geburt Christi, des Gottessohnes (Te tamari no atua)

1896
Öl auf Leinwand, 96 × 129 cm
Bayerische Staatsgemäldesammlungen, Neue Pinakothek, München

Im April 1896, zehn Monate nach seiner zweiten Ankunft in Tahiti, schrieb Gauguin an Daniel de Monfreid: »Ich bin nicht unvernünftig, ich lebe mit 100 Francs im Monat, ich und meine Vahina, ein junges Mädchen von dreizehneinhalb Jahren. Sie sehen, das ist nicht viel; daneben habe ich meinen Tabak und Seife und ein Kleid für die Kleine. Und wenn Sie meine Behausung sähen! Eine Strohhütte mit einem Atelierfenster, zwei in Form von kanakischen Göttern geschnitzte Kokosstämme, blühende Sträucher, einen kleinen Schuppen für meinen Wagen und ein Pferd. Ja, ich habe Geld für ein Haus ausgegeben, um keine Miete mehr zahlen zu müssen und um sicher zu sein, daß ich zu Hause schlafe...« Und im November schrieb er, daß er Vater werden würde.

Dieses Ereignis diente ihm als Motiv für die *Geburt Christi*, in welcher der religiöse Inhalt nur schwach durch die blassen gelben und grünlichen Heiligenscheine von Mutter und Kind angedeutet wird. Es unterscheidet sich sehr stark von seinem fünf Jahre früher entstandenen Bild *Ia orana Maria*. Dort hatte Gauguin ein biblisches Thema durch Eingeborene dargestellt, um dadurch dessen weltweite Bedeutung zu veranschaulichen. Die Heiligkeit einer Geburt wird hier aus dem persönlichen und universellen Charakter dieses Ereignisses gedeutet und nicht durch besondere ikonographische Merkmale ausgedrückt. Das Licht, das auf der Gestalt liegt, steht im Gegensatz zu der geheimnisvollen Dunkelheit des Hintergrundes und den in Gauguins Brief erwähnten geschnitzten Holzgötzen. Sein warmer Glanz gibt dem Bild seinen eigentlichen Nimbus. Die gelösten Hände der Mutter, der Kopf des Kindes und die Köpfe der beiden Frauen verraten eine Zartheit, die Gauguin sonst selten zeigte.

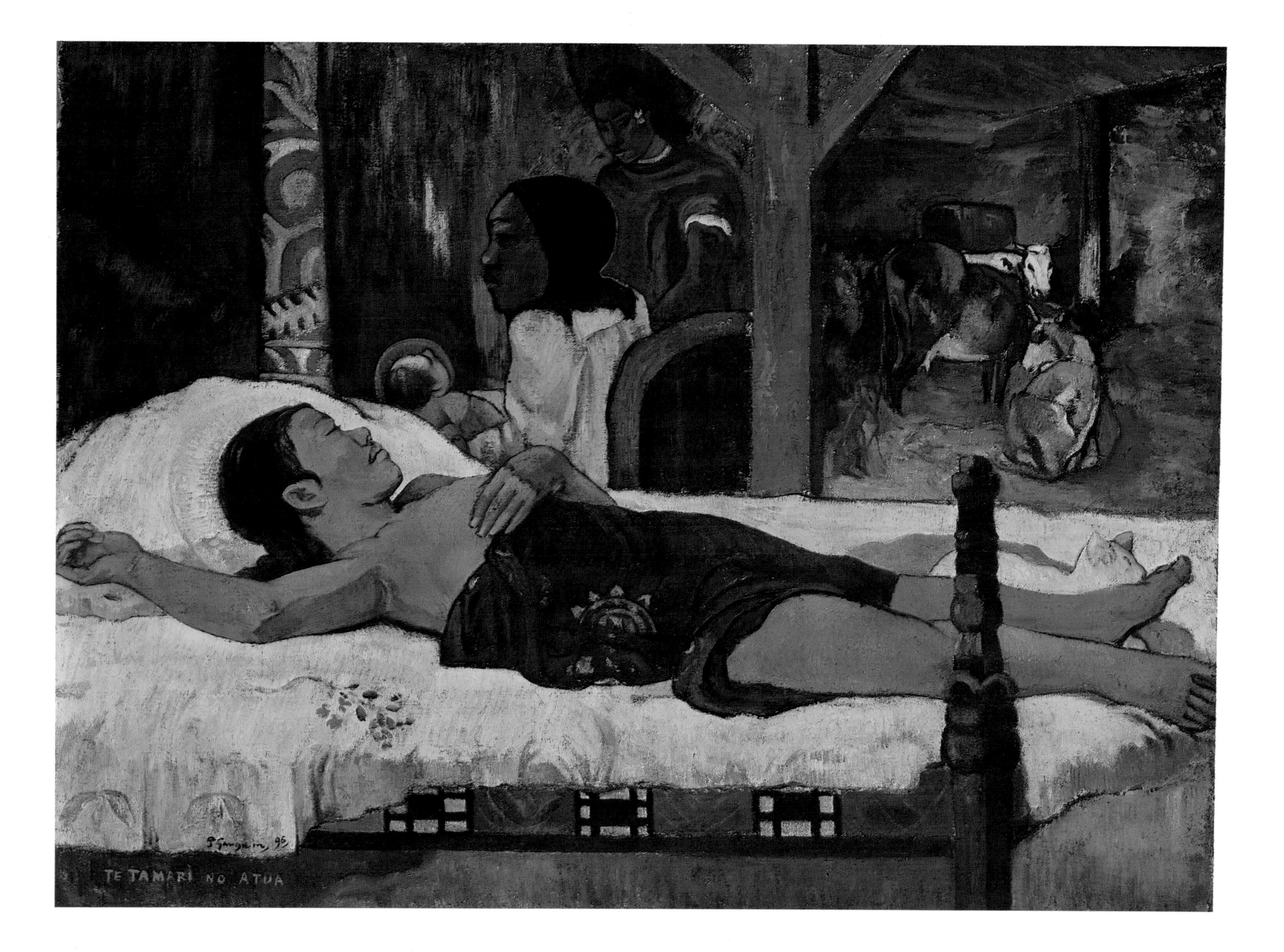
TE TAMARI NO ATUA

31 Der Traum (Te rerioa)

1897
Öl auf Leinwand, 95 × 132 cm
Courtauld Institute Galleries, London

In dem Maße, wie sich sein Stil weiterentwickelte, erfand Gauguin immer neue rhythmische Ordnungen, nach denen er seine Bilder aufbaute. Hier sind die Objekte von vorne, unterhalb der Blickhöhe und in einer Perspektive gesehen, die glaubhaft erscheint. In seiner Komposition bildet dieses Gemälde eine Ausnahme, wie die früher entstandene *Mittagsruhe* (1893). Vielleicht war es der intime Charakter des Themas – eine häusliche Szene ohne symbolische Absicht –, der Gauguin bewog, in beiden Bildern diesen Blickpunkt und die scharf zurücktretende Perspektive zu wählen. Die aus der Nähe und von oben gesehenen Gestalten und das abrupte Zusammenstoßen von Boden und Wänden muten wieder impressionistisch an. Für Gauguin waren es vielleicht Erinnerungen an Degas, den er seiner Aufrichtigkeit, seines Geschmacks – er kaufte eine Anzahl von Gauguins Bildern! –, seines scharfen Witzes und nicht zuletzt seiner vorzüglichen Zeichenkunst wegen bewunderte.

Zweifellos war Gauguins Haus niemals so sauber und aufgeräumt. Er zeigt es hier anders, als es in Wirklichkeit war, um vor allem die architektonisch klare Anordnung hervorzuheben, wie es alle Maler von Interieurs seit den holländischen Meistern mit Vorliebe taten. In seinen Briefen erzählt er, daß er die Wände seiner verschiedenen Ateliers mit Bildern und eigens dafür ausgewählten Arbeiten ausgeschmückt hätte. Die Dekoration dieses Raumes ist ein Beispiel dafür. Das Liebespaar an der linken Wand war eines seiner bevorzugten Themen; Abwandlungen davon kehren in seinen Holzschnitten und Plastiken wieder.

TE RERIOA

32 Woher kommen wir?

(Ausschnitt aus *Woher kommen wir? Wer sind wir? Wohin gehen wir?*)

1897
Öl auf Leinwand, 139,1 × 374,6 cm
Museum of Fine Arts, Boston

Ende 1897 beschließt Gauguin, seinem Leben ein Ende zu machen. Krank und elend, hatte er keine Mittel, sich einen Arzt zu leisten. Dazu drückten ihn Verpflichtungen, und seine Schuldner ließen ihn im Stich. Sein tropisches Paradies hatte ihn enttäuscht. Vor seinem Tode wollte er als Vermächtnis noch ein letztes, großes Bild schaffen. Mit allergrößter Energie konzentrierte er sich darauf. Der Selbstmordversuch mißlang, wahrscheinlich weil er zuviel Arsen einnahm. In seinen späteren Briefen gab Gauguin Erklärungen zu diesem Gemälde und zu seiner Entstehungsgeschichte:

»Das Bild ist viereinhalb Meter breit und ein Meter siebzig hoch; die beiden oberen Ecken sind chromgelb, mit der Inschrift links und meiner Signatur rechts; von der Art eines Freskos, das an den Ecken beschädigt und auf eine goldene Wand gemalt ist.

Rechts unten ein schlafendes Kind, dann drei kauernde Frauen. Zwei in Purpur gekleidete Gestalten vertrauen sich ihre Gedanken an. Eine hockende Figur, die bewußt und ohne Rücksicht auf die Perspektive sehr groß erscheint, hebt den Arm hoch und betrachtet erstaunt die beiden Frauen, die über ihr Schicksal nachzudenken wagen. Die Gestalt in der Mitte pflückt eine Frucht. Zwei Katzen bei einem Kind. – Eine weiße Ziege. Das Idol hebt beide Arme geheimnisvoll in rhythmischer Bewegtheit und scheint auf das Jenseits zu weisen. Ein kauerndes Mädchen scheint dem Idol zu lauschen. Ein altes Weib, schon dem Grabe nahe, beschließt die Reihe. Sie schickt sich in ihr Los. Ihr zu Füßen versinnbildlicht ein seltsamer weißer Vogel, der eine Eidechse in den Klauen hält, die Nutzlosigkeit leerer Worte ... «

»Alles spielt sich am Ufer eines Rinnsals in einem Gehölz ab. Im Hintergrund das Meer, dann die Berge der Nachbarinsel. Trotz der Farbübergänge erscheint die Landschaft durchgehend blau und veronesegrün. Davon heben sich alle nackten Figuren in kühnem Orange ab.«

»Wenn man den Schülern der Beaux Arts für die Rompreiskonkurrenz sagen würde: Das Bild, das ihr zu malen habt, soll darstellen: ›Woher kommen wir? Wer sind wir? Wohin gehen wir?‹, was würden sie wohl machen? Ich habe eine philosophische Arbeit über dieses Thema gemalt, das mit dem Evangelium vergleichbar ist. Ich glaube, es gelang.«

33 Wer sind wir?

(Ausschnitt aus *Woher kommen wir? Wer sind wir? Wohin gehen wir?*)

1897
Öl auf Leinwand, 139,1 × 374,6 cm
Museum of Fine Arts, Boston

Gauguin beschrieb nicht nur den allegorischen Gehalt dieses Bildes, er berichtete auch über die Technik und die Ausführung. Er stellt sich als die wahre Quelle des schöpferischen Geistes das vor, was seine romantischen Vorgänger die Inspiration und seine Nachfolger im 20. Jahrhundert das unkontrollierbare Walten des Unbewußten nannten.

»Den ganzen Monat hindurch habe ich Tag und Nacht fieberhaft gearbeitet. Zum Teufel, es ist kein Bild, wie es ein Puvis de Chavannes gemalt hätte: Studien nach der Natur, Entwurf auf Pappe etc.... Alles ist mit Schmiß gemacht, frisch von der Leber weg, auf Sackleinen voller Knoten und Unebenheiten. Deshalb sieht das Bild auch schrecklich roh aus.

Man wird sagen, es sei nachlässig, unfertig. Gewiß, man kann sich selbst nicht gut beurteilen, aber ich glaube doch, daß dieses Bild nicht nur alle früheren an Wert übertrifft, sondern auch, daß ich nie ein besseres oder vergleichbares malen werde. Ich habe im Angesicht des Todes meine ganze Energie, so viel schmerzliche Leidenschaft unter furchtbaren Umständen hineingelegt und eine so klare Vision ohne Korrekturen wiedergegeben, daß das Hastige zurücktritt und Leben emporsteigt. Das riecht nicht nach Modell, nach Metier und sogenannten Regeln, von denen ich mich immer, wenn auch bisweilen ängstlich, frei gehalten habe...«

»Ich betrachte es dauernd und, weiß Gott (ich gestehe Ihnen das), ich bewundere es. Je länger ich es ansehe, desto klarer werden mir die gewaltigen mathematischen Fehler, die ich um keinen Preis verbessern will. Es bleibt, wie es ist, in seinem, wenn man will, skizzenhaften Zustand.«

»Es stellt sich aber auch folgende Frage, auf die ich keine Antwort weiß: Wo beginnt die Ausführung eines Bildes, und wo endet sie? Der Augenblick, wo stärkste Empfindungen im tiefsten Grunde des Seins in Fluß geraten, der Augenblick, da sie zum Ausbruch kommen und der Gedanke wie Lava aus einem Vulkan hervorbricht, ist dieser nicht das Erblühen des Werkes aus einer plötzlichen Eingebung heraus, das, wenn man so will, brutal, aber groß und übermenschlich ist? Nicht kalte Berechnung stand über diesem Aufblühen; doch wer kann sagen, wann in der Tiefe des Seins das Werk begonnen wurde? Vielleicht unbewußt.«

34 Wohin gehen wir?

(Ausschnitt aus *Woher kommen wir? Wer sind wir? Wohin gehen wir?*)

1897
Öl auf Leinwand, 139,1 × 374,6 cm
Museum of Fine Arts, Boston

Nach seiner Genesung im Frühjahr 1888 schickte Gauguin das Bild nach Paris, wo es in der Galerie Ambroise Vollard ausgestellt wurde. Dort erregte es erhebliches Aufsehen; der Kritiker André Fontainas besprach es ausführlich und wohlwollend, allerdings von einem konventionellen Standpunkt aus. Er hielt den Inhalt des Bildes für unverständlich. »Nichts in diesem Bild«, schrieb er, »erklärt seine allegorische Bedeutung.«

In einem Brief vom März 1899 antwortete Gauguin ausführlich und erklärte in einem für ihn verhältnismäßig freundlichen Ton seine Methode und seine Absichten. Zuerst spricht er über die »musikalische« Rolle, welche die Farbe in seinen Bildern spielt – es war eine prophetische Feststellung, denn sie sollte diese Rolle in immer stärkerem Maße in der modernen Malerei spielen. »Sie ist imstande, das Allgemeinste und zugleich das Unfaßbarste, was es in der Natur gibt, auszudrücken – deren innere Kraft.« Dann fährt er fort:

»Mein Traum läßt sich nicht fassen, läßt keinerlei Allegorie zu. ›Als musikalische Dichtung braucht er kein Libretto‹, um mit Mallarmé zu sprechen. Unkörperlich und von höherer Ordnung, ist das Wesentliche eines Werkes genau das, ›was nicht ausgesprochen wird; es resultiert zwangsläufig aus Linien, ohne Farben oder Inhalt; es ist immateriell‹ ... «

»Das Idol in meinem Bild ist nicht als literarische Erklärung, sondern als Statue da, vielleicht weniger Statue als die Figuren der Lebewesen, aber auch nicht lebendig, innig verbunden in meinem Traum mit der ganzen Natur vor meiner Hütte, und über unsere primitiven Seelen herrschend, imaginärer Trost in unseren Leiden, in dem Unbestimmten und Unbegreiflichen des Geheimnisses unserer Herkunft und unserer Zukunft.«

»Und all das klingt wehmütig durch meine Seele und meine Darstellung, die ich, ohne allegorische Absicht, zugleich malte und träumte – vielleicht ein Mangel an literarischer Bildung.«

»Beim Erwachen, als mein Werk vollendet war, sagte ich zu mir: Woher kommen wir? Wer sind wir? Wohin gehen wir? Eine Reflexion, die ursprünglich nicht zu dem Bild gehört; sie wurde dann in der Umgangssprache auf den gelben Fleck oben links gesetzt. Kein Titel, sondern eine Signatur ... «

»Ich habe in einer suggestiven Darstellung versucht, meinem Traum ohne jede Zuhilfenahme literarischer Mittel Gestalt zu geben, malerisch so einfach wie nur möglich: eine schwere Arbeit. Werfen Sie mir Unfähigkeit bei der Realisierung vor, aber nicht, es unternommen und versucht zu haben ... «

D'où Venons Nous
Que Sommes Nous
Où Allons Nous

35 Nevermore

1897
Öl auf Leinwand, 50 × 116 cm
Courtauld Institute Galleries, London

Auch dieses Bild kann man, wie das fünf Jahre früher entstandene *Der Geist der Toten wacht*, einfach als eine »Studie nach einem ozeanischen Akt« werten. Auch hier entdeckt man einen Anklang an Manets *Olympia*, die von Gauguin bewundert wurde.

Die klare, bruchlose Umrißlinie der Gestalt erinnert an seine früheren, antiimpressionistischen Konturen. Die Auffassung dieses Bildes jedoch ist von Manets kühler Darstellung weit entfernt. Sie beweist, wie stark sich Gauguin bei der Wiedergabe seiner Umgebung, die oft häßlich und für einen realistischen Maler und gewöhnlichen Menschen ohne Reiz war, von seiner romantischen Phantasie leiten ließ. Gauguin war kein Realist:

»Ich wollte noch einmal durch einen einfachen Akt einen gewissen barbarischen Glanz suggerieren. Das Ganze ist absichtlich in düstere und traurige Farben getaucht. Weder Samt noch Seide, weder Batist noch Gold können diesen Glanz schaffen, nur die Hand des Künstlers macht die Materie reich. Kein Luxus, nur die menschliche Vorstellung hat durch ihre Phantasie die Wohnung bereichert.«

»Als Titel *Nevermore*; keineswegs der ›Rabe‹ von Edgar Poe, sondern der auf der Lauer liegende Teufelsvogel.«

Selbst hier verwendete Gauguin das Prinzip der friesartigen Gliederung. Er wiederholte die runden Formen des Aktes in den Umrissen des Bettgestells und in den stilisierten Blumenmustern an der Wand. Ihre frei erfundenen Formen werden durch die strengen Senkrechten der Architektur gebunden. In rhythmischen Abständen öffnen sich Ausblicke ins Freie, die das Geheimnisvolle des Innenraumes noch verstärken. Wir werden hier an Mallarmés rätselhaften Satz erinnert: »Es ist sehr ungewöhnlich, so viel Geheimnis in so viel Glanz bringen zu können.«

NEVERMORE

36 Der Schimmel

1898
Öl auf Leinwand, 140 × 91 cm
Musée d'Orsay, Paris

Aus ineinanderfließenden Kurven baut sich diese Komposition von unten nach oben auf. Es fehlt der Horizont, und die Raumtiefe ist nur angedeutet. Waagerechte und senkrechte Ebenen, das Gewässer und die Pflanzen im Vordergrund, das Ufer und das Astgeflecht im Hintergrund, vermischen sich; alles ist perspektivisch so dargestellt, als wäre es gleichzeitig von vorne und von oben gesehen. Das weist, ebenso wie das kurvenreiche Muster aus Pferderücken, Blattformen und Baumgeflecht, auf den japanischen Holzschnitt hin.

Die Flächigkeit und die in die Höhe gezogene Perspektive des japanischen Holzschnittes waren während der bretonischen Periode die wichtigsten Quellen für Gauguin, dagegen war ihr Einfluß in Tahiti geringer. In diesem Bild jedoch scheint Gauguin jene stilistischen Mittel wiederaufgenommen zu haben, wenn auch in abgeschwächter und veränderter Form. Pferde und Reiter sind stärker modelliert als das übrige; wie in der östlichen Kunst erscheint das Zurückliegende im Bilde oben. Es gibt in der Beleuchtung und in der Behandlung der Wasser- und Grasflächen impressionistische Anklänge. Am naturgetreuesten ist das ›weiße‹ Pferd, dessen Haltung an die Symbolik eines stampfenden Pegasus aus Redons phantasiereichen Bildern erinnert. Das Licht, gebrochen durch das grüne Blattwerk, läßt das Pferd graugrün erscheinen.

Von ihm, das ohne Reiter und verhalten in einer sonst bewegten Komposition dargestellt ist, geht etwas seltsam Geheimnisvolles aus, welches das ganze Bild durchdringt.

37 Brüste mit roten Blumen

1899
Öl auf Leinwand, 94 × 72,4 cm
The Metropolitan Museum of Art, New York
(Sammlung William C. Osborn)

Gauguin reiste bis ans Ende der Welt, um sein irdisches Paradies zu finden. Bei seiner Ankunft in Tahiti schwebte ihm ein lieblich-geheimnisvolles Bild vor, das er sich in seiner Sehnsucht ausgedacht hatte, das aber auch von den alten romantischen Vorstellungen des Paradieses herrührte. Bei nüchterner Einstellung der Welt gegenüber hätte er kaum den Mut aufgebracht, es zu suchen. Fast nie sah er seine Umgebung so, wie sie war; selten malte er sie, ohne etwas von seinen Idealen hineinzulegen, gleichgültig wie oft er, rückblickend, feststellen mußte, daß er sich in ihnen getäuscht hatte.

Das Gemälde erreicht in seiner Schlichtheit das Ideal, das er anstrebte. Da es nichts Programmatisches enthält, ist es gelöster im Ausdruck als viele andere Bilder von ihm. Die Körper sind modelliert, die Farben licht. Er hatte voller Bewunderung von den aufrechten Gestalten, den breiten Schultern, der mit Strenge vermischten Anmut der polynesischen Frauen geschrieben. Hier hat er diesen Eindruck im Bilde wiedergegeben.

Aber noch etwas wird deutlich: Im Gegensatz zu den Figuren solcher Gemälde wie *Der Geist der Toten wacht* oder *Sonntag* oder *Nevermore* sind diese Frauen nicht mit einer mythologischen Bedeutung behaftet; ganz einfach und natürlich stehen sie uns gegenüber.

Vielleicht schwebten sie Gauguin vor – obgleich das Bild später gemalt wurde –, als er August Strindberg auf dessen Behauptung, er verstünde Gauguins exotische Welt nicht, antwortete: »Vor meiner auserwählten Eva, die ich in Formen und Harmonien einer anderen Welt male, haben die Erinnerungen an Ihre Wahl vielleicht eine schmerzliche Vergangenheit wachgerufen. Die Eva Ihrer zivilisierten Auffassung macht fast jeden von uns zum Weiberfeind; die unverfälschte Eva, die Sie in meinem Atelier erschreckt, könnte Ihnen sehr wohl eines Tages weniger bitter zulächeln...«

»Die Eva, die ich gemalt habe (sie allein), kann logischerweise vor unseren Augen nackt bleiben.«

38 Contes Barbares

1902
Öl auf Leinwand, 130 × 89 cm
Museum Folkwang, Essen

Die »gefährliche Begierde nach dem Unbekannten, die zu Torheiten verleitet«, trieb Gauguin vorwärts, im Leben wie in der Malerei.

Dabei blieb er aber sich selbst und den Ursprüngen seiner Kunst merkwürdig treu. So groß auch die Entfernung von Paris und so tief seine Liebe zu der tropischen Umgebung waren, stets fühlte er sich als ein aus Frankreich Verbannter, ein aus der europäischen Tradition Ausgestoßener.

Die einzelnen Teile dieses Bildes geben Aufschluß über die Verschiedenartigkeit seiner Quellen, sie zeigen, daß der Maler seine Vergangenheit immer in die Gegenwart einmünden ließ, eine Gegenwart, die für ihn zum Teil nur Vorstellung war. Die kauernde Gestalt des Geschichtenerzählers in blauem Gewand, eingeengt durch den Rahmen, mit entstellten Gesichtszügen und Klauenfüßen, hat das Gesicht seines holländischen Malerfreundes Meyer de Haan, eines Zwerges, mit dem zusammen er 1889 in der Bretagne gemalt hatte. Die Mittelfigur zeigt die Haltung eines Idols, die Gauguin oft anwendet, um eine Legende zu veranschaulichen. Das Mädchen rechts, mit zarterem Gesicht und Blumen im Haar, erinnert an Botticelli, wie der Kritiker Charles Morice mit Recht bemerkt hat. Die Komposition mit ihrer klaren Diagonalen, die vom Boden nach rechts aufsteigt, und der von rechts nach links oben angeordneten Figurengruppe, wiederholt den flächigen, symbolischen Aufbau seiner Bretagne-Bilder aus den achtziger Jahren, die von japanischen Holzschnitten beeinflußt waren. Diese verschiedenartigen Elemente verschmilzt der Künstler zu einer Bildeinheit, doch bleiben die fremden Quellen erkennbar.

39 Der Ruf

1902
Öl auf Leinwand, 130 × 90 cm
The Cleveland Museum of Art, Cleveland

Angeregt durch den Anblick der Natur, die zu sehen er so weit gereist war, doch gleichzeitig getrieben von einer inneren Vision und empfänglich für die literarischen Ideen seiner Zeit, befand sich Gauguin immer im Zwiespalt, ob er das malen sollte, was er vor sich oder das, was er in sich sah. Im Idealfall hätten diese äußere und innere Schau in einem Bild, in einer poetischen Form zusammenfließen müssen, welche Erscheinung und Gehalt verband. Tatsächlich tendierte aber jedes Bild entweder in die eine oder in die andere Richtung.

Der Ruf entstand auf den Marquesas. Dort lebte er in jenem »geräumigen Atelier, mit einer kleinen Ecke zum Schlafen, einer vor der Sonne geschützten Hängematte für die Siesta, und erfrischt von einer Seebrise, die von der 300 Meter entfernten Küste kommt und durch die Kokospalmen gedämpft wird«. Ein anderer Abschnitt aus demselben Brief an seinen Freund Daniel de Monfreid dient der Erklärung des Bildes: »Sie kennen meine Meinung über alle diese falschen Gedanken symbolistischer oder anderer Schriften zur Malerei... Hier in der Abgeschiedenheit kann man neue Kräfte schöpfen. Hier entwickelt sich die Poesie von ganz alleine, und es genügt, sich beim Malen in Träumen gehen zu lassen, um sie hervorzurufen.« Diese Empfänglichkeit des Malers wird hier besonders deutlich. Er hielt die Poesie des Ortes fest, die ihn so durchdrang, daß Landschaft und Figuren im Bilde eins wurden. Die friesartige Ordnung, die er so oft anwendete, erscheint auch hier. Die kauernd sitzende Figur links, die man auch in anderen Gemälden von ihm wiederfindet, und die farbigen Streifen des Erdbodens mit ihren unregelmäßigen Formen zeigen eine Tendenz zur Abstraktion.

Obwohl er einmal äußerte: »Der große Irrtum ist das Griechische«, ist die Figur rechts, deren Geste dem Bild seinen Titel gibt, dem Parthenonfries entlehnt. Die Farbharmonien, besonders die begrenzte Stufenleiter von Rot und Rosa, Lavendel und Violett, Purpur und Blau, sind für Gauguin charakteristisch. Trotz dieser typischen Merkmale seines persönlichen Stils ist diese Landschaft keine Schöpfung seiner Phantasie. Sie existierte, und er liebte sie. »Hier, in meiner Einsamkeit, bin ich zufrieden.«

40 Reiter am Strand

1902
Öl auf Leinwand, 73 × 92 cm
Privatsammlung

Sein ganzes Leben lang bewunderte Gauguin Degas, und in seinem Buch ›Avant et Après‹, das er im Januar und Februar 1903, kurz nachdem dieses Bild entstanden war, schrieb, ist Degas der am häufigsten erwähnte zeitgenössische Maler.

Gauguin sagte darin unter anderem: »Prüfe die Silhouette eines jeden Gegenstandes; die Klarheit des Strichs ist das Kennzeichen der Hand, das vom Wollen nicht abhängig ist.« Vor allem wegen dessen durchdringender Betrachtungsweise, die sowohl vom Verstand wie auch vom Anliegen her der seinen sehr ähnlich war, zollte er Degas seine Bewunderung.

Dieses Bild von der Küste von Atuana, die er von seiner letzten Eingeborenenhütte aus sehen konnte, scheint aus der Erinnerung an die Gemälde von Degas entstanden zu sein; es gibt Zeugnis von der Kraft, die Gauguin – so krank er auch war – bis zu seinem Ende behielt. Obgleich das Bild ganz anders als die eleganten Rennbahnszenen in Longchamps von Degas angelegt ist, sind doch die Wiedergabe des Raumes, die Vereinzelung der Gestalten, die Klarheit der Konturen, die jeden Reiter mit Pferd zu einer in sich geschlossenen Form macht, und der Sinn für rhythmische Unterbrechungen mit der Auffassung des älteren Meisters verwandt. Die Ausführung weist in die Vergangenheit und in die Zukunft: Die Malweise des Himmels, sogar seine Farbe, reicht zu den Impressionisten zurück, das Rosa des Vordergrundes dagegen, das für Gauguin typisch ist, führt zu den Fauves. Und nicht nur zu diesen, denn die Pastelltöne, die vereinzelten Reiter und die symbolische Stilisierung der beiden Pferde oben rechts kommen in der Empfindung nahe an Bilder von Picasso heran, die nur wenig später entstanden sind.

»Ich wollte das Recht durchsetzen, alles wagen zu dürfen . . .«, schrieb Gauguin kurz vor seinem Tode. »Die Welt schuldet mir nichts, denn mein malerisches Werk ist nur *relativ* gut, aber die Maler, die heute von dieser Freiheit profitieren, sie schulden mir etwas.«

Bibliographie

Schriften und Skizzenbücher von Gauguin

Lettres de Gauguin à sa femme et à ses amis, ausgewählt, kommentiert und eingeleitet von Maurice Malingue. Paris, Grasset, 1949

Lettres de Gauguin à Daniel de Monfreid, mit einer Würdigung Gauguins von Victor Ségalen; herausgegeben von Annie Joly-Ségalen. 2. Ausgabe. Paris, G. Falaise, 1950

Avant et après (1902–03). Faksimile-Ausgabe. Paris, 1923

NOA-NOA (1894–1900). Faksimile-Ausgabe. Paris, Sagot-Le Garrec, 1954 (desgl. Berlin, 1926, und Stockholm, 1947)

Paul Gauguin: Letters to Ambroise Vollard and André Fontainas, herausgegeben von John Rewald. San Francisco, Grabhorn Press, 1943

Ancien Culte Mahorie (1892–93), herausgegeben von René Huyghe. Faksimile-Ausgabe. Paris, Pierre Berès, 1951

Racontars de Rapin (1902). Paris, Falaise, 1951

Le Carnet de Paul Gauguin, herausgegeben von René Huyghe. Faksimile-Ausgabe. Paris, Quatre cheminseditart, 1952

Carnet de Tahiti, herausgegeben von Bernard Dorival. Faksimile-Ausgabe. Paris, Quatre chemins, 1954

Onze menus de Paul Gauguin; menus propos de Robert Rey. Genf, G. Cramer, 1950

Le sourire (1899–1900), herausgegeben von L. J. Bouge. Faksimile-Ausgabe. Paris, G.-P. Maisonneuve, 1952

Les guêpes (1899–1900). Faksimile-Ausgabe. Paris, G.-P. Maisonneuve, 1952

Monographien und Biographien

Alexandre, Arsène: *Paul Gauguin, sa vie et le sens de son œuvre.* Paris, Bernheim Jeune, 1920

Bernard, Emile: *Souvenirs inédits sur l'artiste Paul Gauguin et son compagnons.* Lorient, 1941

Chassé, Charles: *Gauguin et le group de Pont-Aven.* Paris, Floury, 1921

Chassé, Charles: *Le mouvement symboliste dans l'art du 19me siècle.* Paris, Floury, 1947

– *Gauguin et son temps.* Paris, La Bibliothèque des Arts, 1955

Denis, Maurice: *Théories,* 1890–1910: *Du symbolism et de Gauguin vers un nouvel ordre classique.* 4. Ausgabe. Paris, Rouart et Watelin, 1920

Gauguin, Pola: *Mon père Paul Gauguin.* Paris, Les éditions de France, 1937

Goldwater, Robert: *Primitivism in Modern Painting.* New York, Harper, 1938

Harig, L.: *Gauguins Bretagne.* Hamburg, 1988

Hoog, Michel: *Paul Gauguin.* München, 1987 (mit ausführlicher Bibliographie)

Leprohon, Pierre: *Paul Gauguin.* Paris, 1975

Malingue, Maurice: *Gauguin.* 2. Ausgabe. Paris, Les presses de la cité, 1948

Morice, Charles: *Paul Gauguin.* Paris, Floury, 1920

Rewald, John: *Gauguin.* London, Hyperion Press, 1938

– *Paul Gauguin.* New York, Abrams, 1954

– *Post-Impressionism, from van Gogh to Gauguin.* New York, Museum of Modern Art, 1956

Rotonchamp, J. de: *Paul Gauguin.* Paris, Crès, 1925

Sternheim, Carl: *Gauguin und van Gogh.* Berlin, Die Schmiede, 1924

Kataloge

Maurice Guérin: *L'Oeuvre gravé de Paul Gauguin.* Paris, Floury, 1927. 2 Bände

Retrospective Gauguin. Salon d'Automne, Paris, 1906

Gauguin, sculpteur et graveur. Musée du Luxembourg, Paris, 1928

Gauguin. Wildenstein & Co., New York, 1946

Gauguin. Musée de l'Orangerie, Paris, 1949. Mit einer Einführung von René Huyghe und Anmerkungen von Jean Leymarie

Paul Gauguin. The Arts Council of Great Britain, London 1955. Mit einer Einleitung und Anmerkungen von Douglas Cooper

---

Autor und Verlag danken an dieser Stelle den Museen, Galerien und Privatsammlern für die freundliche Genehmigung, Werke aus ihrem Besitz in diesem Buch abzubilden. Besonderer Dank gebührt Mme A. Joly-Ségalen; William S. Liebermann, Curator of Prints am Museum of Modern Art, New York; John Rewald und schließlich Vladimir Visson von Wildenstein & Co. für ihre Hilfe und ihr Interesse am Zustandekommen des Werkes.